YOUTH 经|典|译|丛 03
人猿泰山

# 猿朋豹友
## The Beasts of Tarzan

[美]埃德加·伯勒斯 / 著
毕可生 孙亚英 / 译

中国青年出版社

（京）新登字083号

**图书在版编目（CIP）数据**

猿朋豹友/（美）伯勒斯（Burroughs, E.R.）著；毕可生，孙亚英译.
—北京：中国青年出版社，2013.7
（人猿泰山系列）
书名原文：The Beasts of Tarzan
ISBN 978-7-5153-1810-3

Ⅰ.①猿… Ⅱ.①伯…②毕…③孙… Ⅲ.①儿童文学—长篇小说—美国—现代 Ⅳ.①I712.84

中国版本图书馆CIP数据核字（2013）第172794号

责任编辑：杜惠玲　谢肇文
封面设计：瞿中华

出版发行：中国青年出版社
社　　址：北京东四十二条21号
邮　　编：100708
网　　址：www.cyp.com.cn
编辑电话：010-57350504
门市电话：010-57350370
印　　刷：三河市君旺印务有限公司
经　　销：新华书店

开　　本：620×920　1/16
印　　张：13.5
插　　页：1
字　　数：140千字
版　　次：2015年5月北京第1版
印　　次：2015年5月河北第1次印刷
定　　价：19.00元

本图书如有印装质量问题，请凭购书发票与质检部联系调换
联系电话：010-57350337

# 猿语(泰山的母语)——中文对照表

## 动　物

巴拉——鹿

勃勒冈尼——大猩猩

布吐——犀牛

旦格——鬣狗

杜罗——河马

戈格——水牛

豪尔塔——野猪

吉姆拉——鳄鱼

库图——老鹰

努玛——雄狮

派可——斑马

盘巴——老鼠

沙保——母狮

吞特——大象

希斯塔——蛇

希塔——花斑豹

(　　　)——(　　　)
(　　　)——(　　　)

### 自　然

戈罗——月亮

库都——太阳

(　　　)——(　　　)
(　　　)——(　　　)

### 人

戈曼更——黑人

塔曼戈——白人

(　　　)——(　　　)
(　　　)——(　　　)

你还能找出多少来呢？

# 目 录

| 一 | 绑架婴儿 | 001 |
| 二 | 被放逐到荒岛 | 010 |
| 三 | 海湾的野兽 | 021 |
| 四 | 大猎豹 | 031 |
| 五 | 莫干壁 | 040 |
| 六 | 一群骇人听闻的船员 | 050 |
| 七 | 误入敌手 | 062 |
| 八 | 死亡之舞 | 073 |
| 九 | 殷勤掩盖的阴谋 | 086 |
| 十 | 那个瑞典人 | 098 |
| 十一 | 坦布萨 | 109 |
| 十二 | 一个黑人恶棍 | 119 |
| 十三 | 逃亡 | 130 |
| 十四 | 独自在丛林中 | 137 |
| 十五 | 在乌干壁河上顺流而下 | 146 |
| 十六 | 在夜晚的黑暗中 | 155 |
| 十七 | 在"金凯德"号的甲板上 | 163 |

| 十八 鲍勒维奇策划复仇 | 171 |
| 十九 "金凯德"号的沉没 | 181 |
| 二十 重返丛林岛 | 186 |
| 二十一 丛林中的天理 | 197 |

# 一
## 绑架婴儿

"整个这件事,谁也不知道是怎么发生的。我向多方面都打听过了,无论是警察局还是特别谍报机关,都说不出个所以然来。他们知道的并不比大家知道的更多。总而言之:尼古拉·罗可夫越狱了。"得·阿诺这样说。

格雷斯托克勋爵(就是原来的人猿泰山,现在他已正式承袭了贵族爵位)这时正坐在他的老友海军少校得·阿诺的屋里,听了这话,他沉默地坐着,两眼凝视着自己的靴尖。他在想:自己的死对头已经从法国陆军监狱里逃跑了。当初罗可夫入狱,是自己做的证人,证明了他是国际间谍,可谓人证物证俱全,才把他判了无期徒刑。如果再往前追溯,罗可夫多次谋害自己,欲置自己于死地而后快。现在他从监狱中侥幸逃出,他决不会善罢甘休,一定会想方设法报复,而且以罗可夫的性格看,准会下毒手。泰山想到这里,深深地觉得自己不能不认真防范。

原来,泰山最近偕同夫人琴恩,带着儿子,到伦敦来小住。在这以前的一段时间里,他们全家曾去探望泰山在蛮区的老友——现在属于乌济尔区的瓦齐里村,也就是泰山曾经当酋长的那一片广阔土地。因为那里恰逢雨季,不适于居住,尤其琴恩和孩子更是无法适应，所以他们才到伦敦来。

泰山从伦敦乘海轮来到巴黎，专程来探望得·阿诺，却没想到从老友口中听到了这么个消息。他心里很不痛快，决定立刻起程回伦敦去，那里的妻儿需要自己的保护。

泰山沉思了一阵说："得·阿诺！这件事如果单就我一个人来说，没什么可怕的，过去曾经有很多次罗可夫跟我勾心斗角，到最后取胜的都是我。但现在不同了，我有了家室，我担心的是这方面。假如我猜得不错，我想罗可夫一定会很快就向我的妻儿下手。他这样做，比直接加害于我本人要厉害得多。我必须马上回伦敦去，除非罗可夫死了，或者又被逮捕，否则，我决不能离开琴恩和孩子。"

当泰山和得·阿诺在巴黎谈话的时候，在伦敦郊外的一间草屋里，也有两个人在低声交谈着。一个满面胡须，另一个人虽也有胡须，但像不久前才留起来的，脸色惨白，看似有很长时间没见过太阳。他转过身对那留络腮胡的人说："你一定得把胡子刮掉，免得被他们认出来，坏了大事。我觉得该商量的，我们俩都考虑得够周到了，现在可以就在这儿分手，明天在'金凯德'号船上再见面。希望我们的计划一切顺利，明天就把那两位贵客带到船上，不出两个小时，我可以先把一个带到多佛。如果你照我的安排做，你那边也顺利的话，明天晚上，另一个也可以被请到多佛了。我料定他得到消息之后，会立刻赶回伦敦的。我们这次的努力，一定不会白费，不但会得到大笔的钱，还会得到解恨之后的满足。鲍勒维奇！我们的成功得感谢那些愚蠢的法国人，你想，他们在我越狱之后过了多少天才宣扬出来啊！我们能有这个空隙安排一切时间都很充裕了。这可真是好运气!现在我要走了。"

大约三个小时之后,有个人到得·阿诺家来送电报。他问:"这电报是给格雷斯托克爵士的,他在这里吗?"

得·阿诺家应门的仆人说爵士还在这里,立刻在回执上盖了印章,把电报带到里面去呈给泰山。这时泰山已决定要回伦敦去了。

泰山把电报拆开一看,立刻面容失色。他一边把电报递给得·阿诺一边说:"你看!不出所料,事情已经发生了!"

得·阿诺接过电报来,只见上面写着:

新雇的佣人带杰克到园中,被人拐去。盼速归。

琴恩

泰山到了伦敦车站,坐上了家里来接的车子,火速往家赶,琴恩早就倚门而待了。她神色焦急忧伤,把孩子被拐的经过详细告诉了泰山。原来孩子坐在童车里,由保姆推着,在门前的阴凉处玩耍。忽然来了一辆窗帘拉得很严实的汽车,停在街道转角处。保姆只顾照料孩子,没怎么注意那辆车。她只以为那辆车在等候乘客,因为汽车停住之后,没见有人下车,而车也并没有熄火,还在突突突地响着。正在这时候,家里新雇来的仆人卡尔跑出去对保姆说,女主人有要紧事叫她,要她赶快去,小杰克可以由他代为照顾一会儿。保姆无论如何也想不到他有歹意,于是把杰克托付给卡尔,就急忙回屋。她刚要上台阶,忽然想起还要叮咛卡尔一件事,就是夫人经常吩咐的,别让强烈的阳光直射孩子的眼睛。哪知她刚回过头来,就见卡尔推着童车,直向街道转角处跑去。同时她看见汽车门也开了,露出一张带胡子的脸来。保姆见情况不妙,唯恐孩子有危险,赶紧转身追出去,可是没等她赶上,卡尔已抱起孩子,交给车上那大胡子了。保姆一看急了,拼命向汽车追去,可是没等她追到,卡尔居然也跳上了那辆汽车,把门关好。司机才要启动,不知车子的什么地方出了点故障。保姆以为这下有希望追回孩子了,哪知司机把汽车向后退了几步,就一直向前开走了。就在这一小段时间里,保姆抢着踏上了汽车的踏板,她想从劫匪手中夺回孩子。当汽车开动的时候,她攀住窗口,拼命喊叫,可是,汽车越开越快。卡尔伸出拳头,狠狠地打在保姆脸上,把她从踏板上打下来,倒在地上。保姆的大喊大叫,惊动了家里和邻居的仆人都出来看了。琴恩当时也听到了叫声,知道一定发生了什么事,赶快出来看,还亲眼看见她和绑架者拼命争夺。琴恩也赶了上去,可惜保姆已经跌下车来,做什么都来不及了。

　　杰克被拐跑的事,琴恩只知道这么多,至于是谁干的,她一点儿也不知道。后来泰山说起罗可夫从法国陆军监狱里逃出来的事,他们俩都猜到这可能是罗可夫的报复阴谋。

　　他俩正在商量怎样救回杰克,忽然右边书房里的电话铃响了,泰山赶忙去接电话。

　　电话里传来声音:"是格雷斯托克爵士吗?"

　　泰山回答:"是的,是我。"

　　那人又继续说:"您的儿子被人拐走,只有我能帮你把他救出来。我熟悉绑架集团里的一切秘密,因为我也曾经是他们当中

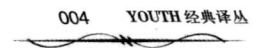

的一个。原先想从他们那儿分得点好处,后来他们因为分赃不均,就过河拆桥,要把我排挤在外。我气不过,所以想报仇。现在我愿意为你效劳,条件只有一个,只要你对我既往不咎就行了。你看怎么样?"

泰山回答说:"我可以答应你,只要你带我到他们藏我儿子的地方去,以往的事,我决不追究。"

"那么,好!我们算说定了。不过,你既然信得过我,你就一个人来,我相信你宽宏大量,而且言而有信,我不愿意在别人面前露出我的真面目。"

泰山答应了他这个条件,紧接着又问他:"那么,我到什么地方找你呢?"

那人说了一个地方,是多佛靠近海边的一家小酒店,他还特地补充说,那是水手们常去饮酒的一家。泰山问他什么时间,他说:"今晚十点左右,我一定在那里恭候,但是,请你别来得过早,免得让周围的人起疑心。我可以向你保证,令郎现在绝没有危险,等我们见了面之后,我领你一同去。但你千万记住,要一个人来,别惊动了警察局。我是认识你的,我会注意到你来了没有。倘若你不照我们约定的去办,那可就别怪我不守信用了,以后,我也不会再来找你。你要考虑好,如果你失去这次机会,您的儿子今后会出什么事,我可就不管了。"那人说完,没等泰山回话,就把电话挂断了。

泰山挂上电话之后,把整个内容都告诉了琴恩。琴恩出于母爱,坚决恳求和泰山一同去。泰山认为不妥,说:"打电话的人说只准我一个人去,听他口气,还十分坚决。如果他看见去的是两个人，他一定不肯见我，那岂不误了找回杰克的大事？"泰山说完，匆匆和琴恩告别，一刻不停地赶到多佛去了。临行前还嘱咐琴恩在家里等候消息，有什么情况，自己会马上用电话通知她。

泰山不可能预先知道，和琴恩这一分别，中间要经过多少艰难险阻，重逢之日又是怎样遥远，这岂是他能预料得到的呢？

泰山走了之后，琴恩独自一人待了十几分钟，觉得时间漫长，坐立难安，只有在地毯上走来走去。人间再没有比母爱更伟大更无私的了，何况，琴恩现在只有杰克这一个孩子。平日只要一会儿没看见都要挂念，这次被仇人劫去，生死未卜，她怎么能不心急如焚呢？她虽然相信泰山一个人去也不至于发生什么意外，而且打电话的人又答应得十分肯定，想想那些话也说得入情入理，确实是个了解内幕的人，但是不知为什么，琴恩凭直觉，总感到丈夫和儿子似乎都处在极大的危险之中。

她越想越觉得不安，仔细琢磨刚才的电话，心里忽然涌起了两种恐惧：莫非歹徒想把肉票运出去，有意分散他们夫妇俩，使他们无法共同对付这件事？莫非是编一篇谎话，以杰克做诱饵，引诱泰山再度坠入罗可夫的罗网？罗可夫也许真要下毒手了：把父子俩一网打尽！

琴恩想到这里，睁大了两眼，恐惧到了极点。她凝视着挂在书房角落里的自鸣钟，正在滴滴答答地走着。自鸣钟提醒她，如果上多佛去，想赶上与泰山同一班车，已经不可能了，必须乘下一班车，也许能在晚上十点之前赶到多佛那个小酒店，这样，她或许能比泰山先到。

她定了定神，打定主意，立刻吩咐仆人和司机，叫他们准备好简单的行李和汽车。几分钟之后,她已经坐汽车到了火车站。

那天晚上九点四十五分,泰山已经到了多佛海港,按着打电话的人所说,找到了靠海处一家肮脏的小酒店。他刚走进去,就有一个人迎面过来了。那人帽檐压得很低,看不见脸,从泰山身边擦过,低声向泰山说:"爵士,请跟我来!"

那人头也不回,一直向前走去。泰山心里明白,他就是方才打电话的人,于是就跟着他走出酒店,拐进一条黑沉沉的小巷。出了这条狭窄的小巷,更加黑暗了。靠近码头的地方,堆着许多行李和箱子之类的东西,这都是准备启运的物品。泰山在这里站住了,问:"我的儿子到底在哪里?"

那人回答说:"你看见泊在港里那条有亮光的小船吗?就在那船上。你放心地跟我走吧!"

泰山在黑暗中仔细打量那人的面貌,觉得完全不认识。原来,这人就是鲍勒维奇,他剃掉了满脸的胡须,好像变了另外一个人,加之在黑暗里只能看见大致轮廓,泰山自然认不出来。泰山哪里会料到,正是自己前边这个人,包藏着阴险的祸心,把自己一步步诱入罗网呢!

鲍勒维奇边走边对泰山说:"匪徒们现在都不在船上,他们以为把孩子弄到船上就万无一失了,只留了两个水手看守着。刚才我等他们上岸之后,已经把两个水手灌得酩酊大醉了,现在"金凯德"号上等于一个人都没有。我们这个时候下船去,救出令郎,平平安安出来,决不会有人阻挡我们的。"

泰山点点头说:"既然这样,我们就快去吧!"

那人领泰山走到码头,那里正泊着一只小船,他们上了小船,鲍勒维奇划着桨,小船迅速向"金凯德"号划去。泰山只是急于想在几分钟之后,就把心爱的儿子抱在怀里,根本没有心情去仔细观察别的,他并没有注意到,"金凯德"号的烟囱里,已冒着缕缕的黑烟,说明机器已经在开动了。

到了"金凯德"号船边,见有一架软梯挂下来,泰山跟着那人爬了上去。走到船的后舱,那人指着一个舱口说:"您的儿子就被藏在这个舱里,我想,还是你一个人下去抱他出来好,万一他看见生人啼哭起来,也许会惹出不必要的麻烦,我就站在这里,替你望风吧!"

泰山听那人说得有道理,因而没有多想,加之救儿子的心情非常迫切,就没顾得留心周围环境。甲板上虽然一个人影都没有,但船上的机器已经发动,一阵阵浓烟从烟囱里直往外冒,分明是就要开船的样子。他听信了鲍勒维奇编得天衣无缝的谎言,毫不犹豫地顺着漆黑的阶梯走向底舱。他还没走完阶梯,只听得头顶上一声响,舱口的门竟然关上了。

泰山此时才知情况不妙,感到可能已经中了诡计,不但救不了杰克,自己恐怕也出不去了。他急忙返身向上走,想打开舱门,却无论如何也打不开了。他只得又往下走,想看个究竟,擦亮一根火柴照了照,才看清楚,原来这间舱和别的舱完全隔开,除了刚才进来的那个舱门之外,再没有其他的进出口了。泰山这才明白,自己被关在一间底舱里了。

泰山仔细看了看舱内,一个人也没有,杰克如果真在"金凯德"上,也一定是在别的什么地方。

泰山过去在丛林里整整生活过二十年,这二十年里他独往独来，没有做伴的人，因而养成了一个习惯：喜怒哀乐，总是深藏心底，不形于色。现在被诱入陷阱，几乎可以说身处绝境，但他仍旧不露声色，非常镇静，并不感到恐怖和绝望。他仔细检查着周围，例如舱板的薄厚，从底下到舱口的距离等等，不一会儿工夫，他对这些都了如指掌了。

正在这时，听到机器轰隆的声音，知道船已经开了。泰山心里暗暗思忖：船要往哪里开？这些歹徒会怎样对付自己？正在思考着，忽然听到在机器轰响声里，夹杂着一声悲惨的呼叫，那声音分明是一个受惊的女人发出来的。

## 二
## 被放逐到荒岛

泰山跟着那个给他带路的人才走到黑暗的码头上时，有一个脸上蒙着厚厚面纱的女子，也正从一条小街上匆匆走出来，走到一家小酒店门前，站住脚，辨认清了酒店的招牌，推门走了进去。

酒店里有二十多个已喝得酩酊大醉的水手，和一些在码头上做零工的闲汉，嘴里正在不三不四地闲聊着什么。忽然看见这位衣着华丽的女子进来，大家不觉都露出了惊异的神色。而酒店里那些女招待，却只盯着这位女客人的华丽服饰，眼睛里流露出了一种掩盖不住的羡慕和嫉妒。可是那蒙面纱的女子一点儿也没去留意周围的目光，她一直走到女招待面前，问道：

"请问你，刚才是不是有一位身材魁梧、服饰考究的先生，和这里另一位客人，一同出去了？"

女招待回答说有的，可是不知道这两个人到哪里去了。那位蒙面的女子听了，表现出了惊恐和焦急。她正在踌躇之间，恰有一个要喝酒的水手走进来，听到了她刚才的问话，于是插嘴告诉她，方才是看见了这样的两个人，从酒店里走出去，向码头那边去了。那女子说："请你跟我一同出去，把他们走的方向指给我看,可以吗?"她边说边取出一个先令,给了那水手。

那个水手得了钱,高高兴兴地带她到码头上去,在黑暗中,能看到远处水面上有只小船,正向那冒着黑烟的金凯德号汽船划去。只一会儿工夫,小船已靠近"金凯德"号汽船了。那水手指着前面说:"那小船上坐的两个人,不正是你要找的人吗?"

这蒙面女子一看,非常焦急地说:"如果你能帮我找一只小船,追上他们,我愿意送给你十个金镑。"

那水手说:"既然要追,就得赶快,因为我刚才听到'金凯德'号船上的水手说,那汽船三小时之前已经生了火,只为要等候一个客人,他们要等的,也许就是这小船上的人。如果真是这样,那汽船很快就会开,我们得想法赶紧追上去,不然,就来不及了。"

他说着,带她走下码头,扶她上了自己的小船,自己也跟着纵身上船,用力划桨,尽快前进。没划多少时候,小船已靠上大船。水手急于向她要钱,那蒙面女子随手掏出一沓钞票,来不及点数,就放在了他手里。那水手接过钞票看了一眼,远远超过女子原来说的数目,大喜过望,于是分外卖力,扶她上了软梯,自己的小船还泊在旁边,希望等这位阔绰的夫人再乘自己的小船回去,说不定还会挣一大笔钱呢。谁知那蒙面女子才爬上"金凯德"号,"金凯德"号的铁锚已出了水面,船身开动,直向海口驶去了。

水手一看这情况,断定那位女士再不会乘自己的船回去了,便驾着小船独自往回划,还没划出多远,就听见"金凯德"号的甲板上发出了一个女人的惨叫声。他叹了口气说:"真造孽,早知这样,我不该送她来,要是我不送她,也就不会有这回事了。"

那位蒙面女士正是琴恩。她走上"金凯德"号,看看甲板上一个人都没有。她不知道泰山父子俩在哪里,她一心想趁现在四下无人,正好找找丈夫和儿子。她一直向船舱走去,找到舱门,就顺着梯子往下走。这里是船的前半部分,两边的小房间都是船上工作人员住的舱房,中间一大间是食堂。她一心想找泰山和杰克,没有注意到自己进来之后,已经有人把舱门关上了。琴恩在食堂里转了一圈,只觉得一间间舱房里,既不见人影,也听不见声音,有点阴森森的,这时她已觉察到,恐怕是凶多吉少了。

舱里寂静无声,这寂静中像包藏着无限凶险,使她感到恐惧。她轻轻地去推那些房门,都是一推就开,但里面却一个人也没有。她的精神完全集中在探寻上了,外面在起锚开船,她都毫无觉察。当她推右手边最后一扇门时,门也是一推就开了,冷不防她却看见一个面目狰狞的人坐在屋里,似乎就是在等什么人自己送上门来。门一开,他刚看见她,就跑过来一把抓住她,尽力把她拖到房里去。

琴恩猝不及防,被他猛力一拖,吓得大叫了一声。那家伙怕船离岸还不远,这么大的叫声,若被岸上的警察听见了,会惹出麻烦来,于是用力捂住她的嘴,恶狠狠地低声说:"我尊敬的夫人!等离岸远一点,你爱怎么喊就怎么喊,哪怕你喊破了嗓子,也没人管你,现在你可给我老实点,别惹老子使出厉害的来!"

琴恩听那人说话的声音,觉得耳熟,于是转过头去仔细端详他的脸,只见那人满脸胡须。那家伙见琴恩在看自己的脸,下意识地松开了手。当琴恩认出那人是谁时,不自觉地吓得倒退了两步,神情紧张地说:"瑟朗先生!尼古拉·罗可夫!"

罗可夫得意地狞笑着,用一种流氓动作向琴恩行礼说:"不错,正是我!是一向赏识你的我!琴恩小姐,不!格雷斯托克爵士夫人!别来无恙?"

琴恩无暇理睬他这种戏弄的态度,急切地问:"我的孩子呢?他在哪里?快交给我!罗可夫先生!不管你怎样残忍,你总不能不念及当初沉船之后,咱们共同度过一段生死与共的日子吧。看在共过患难的分上,告诉我,我的儿子在哪里?他在这条船上吗?假如你还有一点人性的话,把孩子交给我这个当母亲的吧!"

罗可夫说:"你想要孩子倒也不难,如果你肯按我说的去做,我决不伤害你儿子。你应该明白,你可不是我原来想请的客人,你是自投罗网来的。你既然鼓起勇气来了,自然会有好处。"他又自言自语地接着说:"这么好的运气,我还真没想到!"

罗可夫说完,就到甲板上去了,从外面带上舱门,把琴恩关在里面。在这以后,隔了很多天,琴恩再没见到过他。因为"金凯德"号出了海口之后,遇到了大风浪,船颠簸得非常厉害,罗可夫是不惯于海上生活的,自然支撑不住,晕了船,大吐不止,躺在床上起不来了。

琴恩这些天被困在船舱里,每天有个俗不可耐的瑞典人来给她送饭,他是"金凯德"号船上的厨子,名叫斯文·安德森。这人身材很高,满脸长着黄色的长胡须,面貌丑陋,尤其那两只手,仿佛从来就没洗干净过,指甲又长,里面积满了污垢。如果谁看到他的指甲抠进食物里去,就是肚子再饿,也会吃不下去的。他是个又阴沉又可怕的家伙,那两只小蓝眼睛挤在一起,紧贴在鼻梁两侧,总是斜着眼睛看人,放出一种凶狠锐利的光。他的动作特别敏捷,走起路来一点儿声音也没有,像一只猫一样。腰里围着一条油晃晃的围裙,也像从来不洗似的。随身挂着一把雪亮的长刀,不知做什么用,看他那副样子,好像只要一言不合,他就可以拔刀相向似的。

琴恩虽然常常背着他把食物扔到海里去,但每当安德森来送食物的时候,她总是勉强装出笑脸,向他道谢。她总疑心这个厨子是罗可夫派来监视她的。自从闯到这条船上来之后,她早已把生死置之度外了。她心中时时牵挂的就是丈夫和孩子,不知他们到底怎样了。她猜度杰克一定也被藏匿在"金凯德"号上,估计还不至于有生命危险。她更为担心的却是泰山,他和罗可夫仇怨很深,泰山又曾主持正义,按照法律把罗可夫送进监狱,判了无期徒刑,如今泰山被罗可夫诱骗上船,正是他报仇的好机会,岂有轻易放过的道理?不知泰山还有没有逃生的希望,琴恩为这件事,日夜悬心。

这时的泰山,却静静地躺在另外一间黑暗的船舱里,他一点儿也不知道琴恩也被困在这条船上,离他的舱房其实并不远。

泰山的饭食也同样是那个瑞典厨子安德森天天送来。泰山几次设法,想从他口中探听一些消息,他最想知道的是,儿子杰克到底在不在这条"金凯德"号船上。但每次探问都没有结果,安德森总像神经不正常,呆头呆脑地愣一阵,答非所问地说:"快要刮风了,风越刮越大了。"

泰山看他总是这两句话,明知他装疯卖傻,也就不再问他了。

"金凯德"号在海上行驶了几个星期,除了上煤、加水、停泊靠岸之外,其他时间都是全速前进,谁也不知道它到底要往哪儿开。罗可夫自从琴恩刚上船时跟她见过一面之后,有很多天没再见她了。他因为晕船,只能躺在自己的舱里,根本起不来。有一天,他觉得头晕呕吐已经好些了,只是脸色还十分难看,他挣扎着起来,到琴恩舱里。他这次的目的,是想向琴恩敲诈一笔巨款,作为送她回英国的交换条件,并且一定要琴恩亲笔在支票上签字。

琴恩回答他说:"如果你能护送我和丈夫、孩子,一家三口平安到达文明国家的港口,不要说你开出的这个数目,就是再加一倍,我也肯给你,我是言而有信的。但在我们没有恢复自由之前,别说你要的这笔巨款,半毛钱我都不会给你。"

罗可夫听了,马上暴跳如雷,高声喊道:"你必须听我的命令,你要放明白些,现在你们都在我手心里呢!赶快签支票给我。如果惹恼了我,可没你们的好果子吃!不论是你,还是你的丈夫或你的孩子,休想离船登陆,别说文明国家,就是穷乡僻壤,你们也别想上岸。在这条船上,可是我说了算的。"

琴恩说:"我不能现在就签支票,我和我丈夫都不是不了解你,过去有不少事,都说明你这个人靠不住,你自己的行为败坏了你的声誉和人格,让我怎么相信你?我怎么知道,你拿到钱之后,肯定不会伤害我们呢?"

"我看,你还是乖乖地听话的好,你别忘了,你的孩子还在我手里,如果你执意不签,那也没什么。不过,等我收拾你孩子的时候,你听到他的哭叫声,可别骂我残忍,这都怪你自己,当母亲的花几个钱就能救自己的孩子,你偏偏把钱看得比孩子重,这能怪谁呢?"

琴恩听他这样说,知道他是说得出做得到的,失声喊起来:"你千万别伤害我儿子,做人不能这样狠毒啊!跟大人有仇,不能拿孩子出气,孩子并没有惹着你呀!"

罗可夫转过身来,紧盯着琴恩说:"谁说我愿意这样残酷无情?实在是你把钱看得太重了,存心拿着钱,让你孩子吃苦头,这能怪我吗?我不是已经把话说在前头了吗?你儿子能不能平安,就看你自己了。"

琴恩深知罗可夫心狠手辣,昔日在救生艇上,杀人吃人的事都想干,还有什么事干不出来?现在跟他争论是白费口舌。只好照他敲诈的数目,签了一张支票给他,希望能买得一家平安。罗可夫把支票接到手,露出满意的笑容走了。

第二天,泰山所住的那间舱门也被打开了,上面透进一束亮光来,泰山看见鲍勒维奇的脸出现在舱口,恶狠狠地喊道:"上来!我们有话要对你说。你可得放老实点,胆敢不老实,就让你尝尝厉害。我们早已准备好了,只要你敢乱动,马上给你一颗子弹!"

泰山已经好久没有见到阳光了,有机会能上去,便一纵身跳上了舱面,站定之后,看到稍远的地方站着六个水手,都握着来复枪或连射手枪,枪口对着自己。鲍勒维奇站在他的对面,泰山知道罗可夫也在船上,但此时人群中却没有他。鲍勒维奇往前走了一步说:"格雷斯托克爵士!你自己不识相,常常和罗可夫先生过不去,过分惹恼了他,他才把你们父子都绑来,这是你咎由自取,怪不得我们。不过事情要解决,也不难,你知道罗可夫先生不是多有钱的,这次他是为了你,才做远途航行,当然花费不小,希望你能接受我的调解,拿出一笔钱来,赔偿他的损失,这样,不但可以安全释放你的儿子,连你,我们也可以放,让你毫无伤损地得一条活命。你看如何?"

泰山问:"你们要多少钱?如果我给了你们钱,你们一定会履行诺言吗?像你和罗可夫这种坏事做尽的歹徒,实在让我不能相信你们的话,你们是靠不住的。"

鲍勒维奇听了,觉得泰山的话很刺耳,涨红了脸说:"你死到临头,还装硬汉,骂人是歹徒,对你自己一点好处也没有。我们当然不会给你什么保证,信不信由你。不过,你要是不签支票,我们可以命令这几个水手马上开枪结果你的性命。你要放明白,我们之所以不立刻枪毙你,不是有什么顾虑,你和我们仇深似海,马上打死你,我们当然很痛快,但是,现在我们不屑于这种简简单单的痛快,我们要按计划行事,留着你这条命,让你尝尝比死更痛苦的惩罚。"

泰山说:"少说废话!我的孩子到底在哪里?在不在这条船上?"

鲍勒维奇答道:"不在这条船上,我们把他藏在另外一个秘密的地方了。只要你不答应我们的条件,我们可以马上把他杀死。你不签支票,等于宣布你们父子俩的死刑,我们之所以要绑架你的孩子,目的无非是让你多受点儿精神折磨。没必要多磨嘴皮子,你要救孩子、救自己,唯一的办法就是签这张支票。"

"好!"泰山一口答应了,他知道这些歹徒的残忍恶毒是超出常人想象的,什么狠毒的事都干得出来,现在为了救儿子,只好忍下一口气,屈服一次。但他也估计到,即使签了支票,也难保不再节外生枝,好在现在已经不是在黑暗的船舱里,自己总算上了甲板,如果他们有什么举动,自己可以尽全力抗争,不见得不能取胜。就算是做最坏的估计,也可以和鲍勒维奇同归于尽,可惜他不是自己的头号仇人——尼古拉·罗可夫。

泰山主意已定,从衣袋里取出了支票簿和自来水笔,问鲍勒维奇:"说!要多少?"

鲍勒维奇来了个狮子大张口,说出了个天文数字,泰山听了,不觉失笑,心里暗想,这些笨蛋,真是贪婪成性,不摸底细就漫天要价,即使照他要的数额开支票,也只能是一张空头支票,自己在银行里的存款根本没有那么多。但是,鲍勒维奇并不知道这些,泰山故意和鲍勒维奇讨价还价,鲍勒维奇一口咬定说分文不能少,没有商量的余地,泰山装出无可奈何的神情,照数签了支票。

鲍勒维奇把这张分文不值的支票接到手,如获至宝,喜出望外。泰山快速地用眼角扫了一下周围,看到离"金凯德"号几百码之外已是陆地。沿岸一带,绿荫如幕,完全是热带植物,后面的高原上,密密层层,都是丛莽。

鲍勒维奇也发现泰山已看到了这些,说:"谢谢你给我们的酬金,我们打算就请你在这里上岸!从今以后,你就屈尊一下,过野人生活吧!"

泰山仔细看了看,知道这里一定是非洲,假如把他放在这里,短期内会困难一些,将来遇机会,还是有重返文明社会的希望的。

鲍勒维奇收好了支票,对泰山说:"请你把身上的衣服都脱下来,在这种地方生活,衣服根本没有用。"

泰山正在迟疑,鲍勒维奇向那些握枪的水手拍了一下手,泰山知道他们会开枪,自己赤手空拳,无法抵抗,只好慢慢地脱去衣服。在泰山脱衣服的时候,"金凯德"号上已经把一只小船放下了水。水手们持枪把泰山押上了小船。他们把泰山放到陆地上之后,又乘小船回"金凯德"号上去了。泰山看着这艘大船又继续向前驶去。

泰山站在水边岸上,正想把刚才要上岸时水手交给他的一封信拆开来看,忽然听到"金凯德"号船上有人大声叫着他的名字,抬头一看,只见"金凯德"号船上,站着一个满脸胡须的人,双手高高托起一个孩子。孩子吓得大哭,那人却纵声狂笑,泰山认出那人是罗可夫,他手中的孩子正是杰克。泰山气得直向大海冲去,想泅水去赶上那艘大船,可是他才往前跑了几步,汹涌澎湃的海浪,似在提醒他,他这种蛮干的做法,徒劳无益,只会去白白送死。于是他冷静地站住了,圆睁着怒目,望着"金凯德"号渐渐远去,带着他唯一的爱子远去了。幸而他还不知琴恩也在船上。

这时丛林里的野兽,忽然嗅到有人的气味,都藏在树后,用灼灼的目光,窥视着这个新的来犯者。小猴蹲在树梢上,吱吱乱叫,远远的还有一只猎豹,在那里怒吼。但是这些声音对泰山来说并不生疏,所以他并不惊慌,只是站在那里发愣,暗暗责怪自己,为什么那么轻易地相信了鲍勒维奇的话,如果当时自己也动动心思,也许后果不至如此,现在后悔已经来不及了。

最后,他聊以自慰地想:"毕竟还有一件事是让我放心的,琴恩目前还安住在伦敦,没有堕入歹徒的罗网。"

在泰山身后,有一只圆睁着饿眼的野兽,正像猫要捕鼠一般,轻轻地、一步一步地向他身边挪过来,泰山竟然丝毫没有察觉!

　　人猿灵敏的嗅觉和听觉哪里去了呢?原来,心事重重,也会使兽王泰山的一切感觉变得迟钝。

# 三
# 海湾的野兽

泰山把水手刚才扔给他的那封信慢慢地拆开来看,起初由于他心绪悲愤烦乱,看了半天,似乎没看懂,定了定心又仔细读了一遍,才明白恶徒们报仇的奸计。那封信上写道:

你读了这封信之后,就会明白,我们对于如何处置你和你的孩子,是用心作了周密安排的。

你自幼成长于人猿群中,赤身裸体住在丛林里,按理说应该属于兽类,所以我们剥去你人类才有资格穿的衣服,仍旧送你到原应属于你的兽群中去。至于你的孩子,我们把他看得比你高一等,这也合乎进化论吧!

作为父亲,你是一头野兽,但你的儿子生在文明社会,而且尊夫人应属人类,所以你儿子今后也该比你进步。我们给他的安排是:不能做丛林里的野兽,应该身披兽皮,手戴铜镯,鼻穿金环,让吃人的蛮族养育他成人,今后,他的一生,甚至他的后代,也只能是蛮族人。

我们跟你的仇恨够深了,应该说,到了不共戴天的地步,我们本可以杀死你的,可是我们认为,让你一下子死去，未免太便宜你了。现在我们让你活着受罪，只要你生存一天，你就不能不想你唯一爱子的处境，让你饱受一辈子无法改变残酷现实的悲痛。每当你想到儿子，就会心如刀绞，让你在摆脱不掉的痛苦中，在找不到人类的孤岛上，度过你的余生。

过去你施于我的，不能不说是把事做到了绝处，今天，是你应得的惩罚。

现在，我再告诉你，给你的报复还没有完，剩余的惩罚，将施于尊夫人身上。至于具体如何处置她，在此不便相告，请你自己去想象吧！

尼古拉·罗可夫手书

泰山看完信，正在发愣，忽然听到背后有响声，他吃了一惊，头脑清醒过来，这时，一切超常的敏锐习性又回到了泰山身上。他转身一看，原来是一只巨大的大猿正在向他扑来。

泰山在两年之前，曾经在丛林中做过大猿王，而且在他成长的那个地区，他在大猿群中很有威望。他结婚之后，有一段时间仍继续做瓦齐里人的酋长，也常常出来狩猎。但是今天情况不同了，在这个孤岛上，赤手空拳，突然受到大猿的袭击，危险性很大，连泰山也不能不有点儿胆虚，但是大猿已近在跟前，一场搏斗势不可免了。泰山从大猿的肩头上望过去，还有许多只大猿隐伏在后，等待时机，参加战斗。

泰山熟悉大猿的习性，他们非常护群，如果和其中的一只打起来，其他的都会团结一致，共同对敌。现在自己如果不拿出看家的本领来,降伏面前这一只,若被它们围攻上来,后果很难设想。

泰山刚要动手,那只大猿怒吼一声,已经扑了上来,如果是几年前的泰山,一定勇敢迎敌了,可是现在的泰山已学会了文明人以智取胜的巧妙方法。他见大猿来势汹汹,忙向旁边一闪,大猿扑了个空,身体向前一倾,正好送到了泰山跟前,泰山右手一拳,打中了它的肚子,大猿吼了一声,跌倒在地。

那大猿在地上打了一个滚,又跳了起来,泰山也跳了过来,一人一猿,厮打成一团。此时的泰山,完全没有了英国贵族的仪表,又恢复了母猿卡拉儿子的本来面目。他施展出当年所有的英勇和威风,露出雪白的利齿,对准大猿的后颈咬去,大猿拼命抵抗着,也用利齿来咬泰山。泰山不是用钢铁般的手臂把它挡住,就是用拳头砸在大猿狰狞的脸上,打得震动极大,砰砰有声。其他那些大猿,都一窝蜂地拥上来,却没有一个动手的,都在那里围观,似乎很好奇地观赏这白猿新奇的打法,谁也不知道这白猿是从哪里来的。它们更感到奇怪的是,它们的王,素来是威风八面、所向披靡的,现在却为什么被这白猿按住,动弹不得了?此时这些围观者,似乎失去了倾向性,无论是泰山咬下猿王的皮肉,还是猿王咬下泰山的皮肉,它们都会发出一阵欢呼。不多一会儿,泰山按住了大猿的脊背,使得它无力反抗,悲号起来。泰山当初在猿群中的时候,和脱克打斗中曾无意中用过一种类似人类摔跤的方法,收拾了脱克。泰山此时想起了这一手,当年是无意中发现的,这次可是有意重施故伎,围着看热闹的大猿,只见泰山一手按住大猿的脊背,一手钩住它的脖子,向上猛地一用力,那猿王大吼一声,它的脖子像狂风刮断树干一样被折断了。

那群大猿看到它们的王躺倒了,一动不动,还在莫名其妙,没明白过来。只见那白猿住了手,站直了身子,一脚踏在猿王的身上,昂起头来,长啸一声,这是大猿表示胜利的惯用动作。这时那群大猿才明白了:原来,它们的王被这白猿打死了。

泰山这一声长啸,横贯了整个丛林,远处的猛兽,也以长啸来呼应。在树梢上嬉闹的小猴子都停住了叫声,小鸟也被惊散,远远飞开。泰山长啸之后,用犀利的目光向另外那些大猿扫了一眼,这是含有挑战意味的。泰山又把头发向后甩了甩,这是他从前的习惯动作,因为从前在丛林中,不可能理发,头发很长,常常会披散到脸上来,在决斗之前,必须把头发甩到脑后去,使它不致妨碍视线。

泰山懂得大猿的习惯:每当大猿群中争王位时,猿王必须经过多场决斗,把不服的都打下去,才能称王。现在原来的猿王已经死了,一定还有别的大猿想和他决斗,所以他先发制人发起挑战。当然,论泰山的本意,并不一定想当猿王,他知道自己如果走开,任凭猿群散去,它们自己也会搏斗争夺王位的。

果不出泰山所料,大猿并不知道这白猿无意称王。有一只年轻力壮的大猿,从猿群中挤了过来,大胆地走向泰山。它张牙舞爪,喉咙里还发出一种低低的暴怒示威声。泰山留神注意着它的行动,自己昂首挺立,一动也不动。他知道,此时如果自己后退一步,那大猿一定会进逼一步,如果自己前进一步,对手也会前进一步,反正大猿已决意搏斗一场,是决不会后退的。与其如此,还不如自己不动,以逸待劳,让对手摸不到自己的动向,等它来进攻,再看准机会收拾它。

泰山站在那里,静静地待机而动。按照大猿决斗的习惯,挑战者必先绕着他的对手转几个圈,然后找机会进攻。这只年轻的大猿也是如此,它慢慢地绕着泰山转,打算趁泰山不提防时,扑上去把他咬死。

泰山也是有经验的,他一分一秒也不疏忽,站在圈子中间,一直面向着大猿,在原地跟着它转,灼灼的目光,一直盯着那大猿。泰山边转,边仔细端详自己的对手,觉得这是一只很出色的大猿,在今天以前,它未必想过篡夺猿王的王位,可是今后,猿王老了,它未尝不会滋生这种野心。泰山看它全身的各部位长得十分匀称,后腿虽有些弯,但直立起来时也有七尺多高,前爪很长,站着的时候,前爪都离地面不远。它的牙齿长且锐利,泰山越看,越觉得有几分喜欢它,渐渐产生了不想杀死它的念头。当它走到离泰山很近的地方,泰山才看出,它们和自己童年时代所处的一族并不完全一样,原来它们是另外一个种族。

泰山忽然想到,何不试试它们的语言,看它们和自己当初的那一族语言是否相通。于是泰山趁它还没进攻,就用喀却克族的话问它:"你是谁？胆敢向人猿泰山挑战？"

那大猿听了,显出非常惊异的样子,立刻答道:"我是阿库特。"这几个字,居然讲得十分清楚,和二十年前喀却克族的话完全一样。阿库特又说了一遍:"我是阿库特。莫拉克已经死了,我就是王了。你如果不走,我就得杀你。"

泰山回答:"你刚才没看见我杀莫拉克非常容易吗？我要做王,想杀你,也像那样容易!但是,我人猿泰山并不想做你们的王,我愿意平平安安地在这里住下。我们做个朋友,大家互相帮助,你认为怎么样?"

阿库特说:"你不可能杀死阿库特,阿库特是最强的、没有敌手的。即使你不杀莫拉克,我阿库特也本想杀他的,因为我阿库特也有做王的意思。"

泰山趁它讲话没留神,一把抓住它的前爪,猛地向后一跳,阿库特马上摔倒在地上了。泰山因为一下没站稳,失了重心,不自觉也跟着摔了下去,正好压在阿库特的背上,于是泰山就又用出杀死莫拉克的手法来对付阿库特,把它慢慢按了下去。但泰山觉得阿库特精壮可爱,不忍也不愿杀死它,暗想,若留它一条性命,也许将来能给自己做个帮手,过去在瓦齐里,不就因为自己救了一个黑武士而没有杀他,以致整个的瓦齐里族都成了自己的部下吗?泰山转念到此,就用猿语问他:"你服了吗?"

阿库特想到刚才莫拉克被泰山杀死时,颈骨折断的响声,不觉胆寒起来。但它不愿放弃做王的心愿,还想奋力挣扎,原来泰山按着它的那只手并没用十分力气,这时泰山双手一紧,阿库特的颈项就疼痛难忍了,只好软下口气来,连说:"服了,服了!"

泰山随即放松手上的力道,说:"阿库特!你既然想做王,那就放心做你的王,我人猿泰山本来没想跟你争王的,只要你能服从我,将来不论谁和你为难,人猿泰山都会帮助你。"阿库特表示了愿意。

泰山站了起来,阿库特也跟着站了起来。泰山又把头发向后甩了甩,也学着猿族的样子,在喉咙里低低咆哮了一声,向其他的大猿走去,用虎视眈眈的目光看着它们,带着挑战的神情。因为他深恐其他大猿仍有不服阿库特的，尤其看着它被泰山打败，也许会因此而看不起它。哪知其他大猿平时见阿库特勇猛无敌，一向都很钦佩，早有拥戴它为王的心思了。大家都感到满意，自然也不会再有大猿想跟泰山争斗。于是大猿群簇拥着阿库特到丛林里去庆祝新王登位，举行猿类的典礼去了。泰山仍独自一人留在海边。

泰山刚才和莫拉克决斗时身上带了伤，当时不大觉得，现在一静下来感到疼了。在丛林里生活惯了的动物，在搏斗中受伤，是极常见的事。泰山现在既到了丛林里，这点儿伤自然也就算不了一回事。

泰山认为，现在最要紧的事，是必须有一件武器。方才在决斗中，自己之所以会受伤，就是因为没有武器。何况丛林中还有比大猿更凶猛的野兽呢！狮子和豹的吼声正从远处传来。如果要在丛林中生存下去，没有防身的武器恐怕是不成的。现在他好像又回到了两年前的生活环境：不是自己猎取其他动物，就是猛兽猎取自己，没有其他选择。泰山知道今后要有一段时间，会日日夜夜处在生存竞争之中，为此，非得找到一件武器不可了。

泰山在海滩上东找西找，终于找到了一块很锋利的燧石，他又费了一番工夫，把它磨成十二寸长、两分半厚的一把石刀。不过刀口比起金属刀刃来要钝得多，只是聊胜于无罢，万一和野兽打起来，足可以对付一阵。他拿着石刀，跑到丛林里去，见到有一棵倒下的枯树，泰山仔细看了一下，木质还是很硬的。他从枯树上折下一条又直又长的树枝来，用石刀削尖了一头，再用刀在树身上凿了一个洞，然后拾些树叶，搓成碎屑，放进树洞里，又把长树枝尖的一头插进树洞,尽快地把树枝搓转。

不一会儿,树洞里就冒出了淡淡的烟来,继续再搓下去,树洞里的碎叶竟全部燃烧起来了。泰山又添上了些枯枝去烧,让火燃得更旺些,又过了一阵,整株枯树已经烧成一堆很旺的大火了。泰山把石刀放进火里,等烧红了,再取出来,这样反复做了多次,石块上的脆质渐渐消失,刀口比刚才锋利多了。泰山又选了一段中意的树枝,削了做成刀柄,这样,泰山给自己制造了一把猎刀。

泰山本来想再制造一副弓箭和一根大木棍,因为造石刀已经费去了很多时间,看看天色晚了,只好等以后再说。他想必须在天黑之前布置好一个安身的地方,于是选好一株高树,造了个栖身的小窝。这时,太阳已经西沉了。

武器、住处都安排妥当之后,泰山才感到腹中有点饿了,是的,自己一天没吃东西了。在这里要解决饥饿,只有到丛林中去猎取野兽。于是他沿着溪水向前走去,一路上看见许多野兽的脚印,数目还不少,泰山断定天黑之后一定会有野兽来饮水。他就蹲在路边的树顶上守候,留意看着从树下经过的动物。现在的泰山,如果不是心里放不下琴恩和杰克,倒也自由自在,快快乐乐,然而在目前这种处境中,心里自然不免悲戚。不过他自幼锻炼得超常敏锐,却不因他心事重重而变得迟钝,更不会因为经过了几年都市文明生活而有所改变。现在的他,又恢复成了从前的人猿泰山,他这副样子,如果给旧日的同事们见了,不定会把他们吓成什么样子。

泰山静静地蹲在树顶上,等着晚餐送上门来,这时恰巧有一头鹿到溪边来喝水。在这头鹿的后面，还有另外一头野兽在追赶，脚步很急促，但走得很轻，那鹿竟一点儿也没觉察。可是，泰山早已听见了，虽然在黑暗中看不见，从声音上听，也知道相距仅有几百码了。不知道追来的是狮子还是豹，泰山暗想：那野兽追着这头鹿，目的也和自己一样，是想把它当晚餐的，这下，可有和自己争嘴的了。

泰山直担心那鹿，它为什么跑得这样慢？要被后面的野兽捉去，自己眼看到嘴的晚餐可就要落空了。当泰山嗅出后面追来的是什么东西的时候，那头鹿也发觉了，它全身一震，加紧脚步，准备跳过溪去，不料在后面的狮子已经扑上来了。

泰山在树上看得非常清楚，他准备等鹿经过树下时，就纵身跳到它背上去。泰山知道这种机会只是一瞬间，稍纵即逝，如果错过了这个机会，很难说今晚还会不会有这么好的晚餐给自己送来，但弄不好的话，自己也许就成了后面那头狮子的晚餐。

泰山看准了，就往下一跳，恰好骑在鹿背上，顺手攀住鹿角，把它的头一拧——只听一声响，鹿的脖颈就折断了。这突然而来的变化，也使狮子愣了一下，当它明白过来发生了什么事的时候，大吼一声，扑了上来，想从泰山手里争夺那头鹿。可是泰山的动作比它快，把死鹿往肩上一扛，一口咬住鹿的前腿，纵身跳上树去。

泰山的手刚刚拉住树枝，狮子也已经赶到了，若稍迟慢一点，一定会被狮子抓住。

泰山蹲在树的高处，安安稳稳地准备用晚餐了。他带着得意的神色，向下看了看，树下的狮子也正在看他，他把死鹿对着狮子扬了扬,惹得狮子怒不可遏。泰山拿出石刀,割着鹿肉,把一大块热气腾腾的生鹿肉放进嘴里,吃得非常有味,两年多他都没有尝到这活生生的美味了。这样鲜美的肉,在伦敦豪华的俱乐部里,是出多少钱也买不到的。他嘴里嚼着,鼻子闻着那热腾腾的血腥气,觉得非常称心如意。

　　泰山吃饱之后,把剩下的鹿肉在高高的树枝上放好,就从树上跳着回自己的住处了。树下的狮子却怒气难平,一直在树下跟着他,似乎不拿他饱餐一顿,决不甘心。泰山却毫不理会它,只管从树顶上回到了新的住处。睡到第二天早晨醒来,已是太阳高照了。

# 四
# 大猎豹

泰山连续用了几天的时间，把几件简单的武器全部制造好了。他可以放心大胆地带着这几样武器，到丛林里去打猎了。他的弓弦是用那晚吃掉的那头鹿的肠子做的，他原想用虎或豹的肠子更好些，目前只有先将就着用，等以后有机会再换。泰山又就地取材，打了一根草绳，这是他用得最早的一种武器，小时候对付托勃赖，用的就是这个，后来用得越来越熟练了，简直到了出神入化的地步。

泰山还用鹿皮做了箭袋、刀鞘、围裙和一根长腰带。这些东西，将来他也打算用虎皮或豹皮换掉。把自己全副武装好之后，泰山就出发去探险了。他知道这里绝不是他童年时的故乡——非洲西海岸，因为他看到丛林外的海面上，正是太阳升起的地方，由此可以推断，这里一定是什么地方的东部。但是，这里也绝不是非洲东海岸，泰山在"金凯德"号船上，虽然一直被关闭在底舱，没有到甲板上来过，可是凭感觉，他还是能知道船行的方向，他觉得船没有经过地中海、苏伊士运河、红海等地方。那么，这里到底是什么地方呢？他怎么也判断不出来。

泰山曾经猜测，船经过了大西洋，这里也许是南美洲，后来他看见了这里有狮子，才知道不是南美。

泰山独自开始探险之后，渐渐感到寂寞了，他有点儿后悔，当初为什么不跟大猿群一起走呢？他认真想了想，大猿群走的时候，自己还没个着落，何以会作出单独行动的决定？大约因为自己在文明社会里生活了两年，对人类有了认同感，不知不觉间产生了人兽有别的观念。现在他在丛林中住了些日子，过去同兽群共行止的习惯又恢复起来了，所以觉得群居还是比独行好。大猿和人虽然有差异，但是有他们做伴，总比自己独来独往要强得多。

泰山孤零零的一个人，寻路往前走，有时爬上树去摘些野果充饥，有时从树干里剔些虫子吃，这些求生存的方法还是母猿卡拉教给他的。走了一段路之后，他灵敏的嗅觉忽然闻出有猛兽临近的气味，他分辨着，也许是虎，也许是豹。这时他心里倒有点儿高兴，因为他本想用虎或豹的皮和肠子，把自己的武器修整得更好一些。于是他加快脚步，循着气味，迅疾无声地追踪过去。

泰山走到较近的地方，才看清楚那是一只猎豹。那猎豹伏下身去，似乎也在窥伺、寻找着什么。泰山暗想，他是不是也嗅出了自己的气味呢？但他马上否定了这个想法，因为风向不对。那么，这只豹在找什么呢？泰山又仔细嗅了嗅，闻到在豹的气味之外，还夹杂有大猿的气味。泰山明白了，豹在寻找大猿。过了一会儿，那豹蹿进树林里去了，泰山也悄悄地跟了上去。他抬头向前边一看，那里正聚居着一群大猿，他一眼认出阿库特也在里面，那么这正是自己想找的阿库特族呢。群猿有的靠在树上打盹，有的在剔树身上的昆虫吃，没有一个察觉到危险已经临近了。阿库特离豹最近,那豹就伏在树林里丰茂的草丛中,谁也看不见他,他一心在等着阿库特走过来,跳上去咬住,足够自己一顿美餐。

泰山轻轻地跳上树,悄无声息地来到豹隐身的地方上面,把石刀换到左手,想用右手甩下绳套去套住豹的脖子,但是树下的草丛太密了,万一套不准,反而会惊动了它。这时阿库特什么都没发现,还傻头傻脑地朝隐伏着危险的那个草丛方向走。那豹似乎等不及了,狂吼一声,就跳了出来。阿库特听见叫声,抬头一看,只见一只猎豹已向自己扑来,一时竟吓呆了。正在阿库特不知所措的时候,忽然从树上跳下一个白猿来,恰好骑在猎豹的背上,阿库特一看,正是那天打死莫拉克、自己也败在他手下的那只白猿。这时阿库特非常着慌,知道血淋淋的一幕就要出现了,可不知谁胜谁负。只见那只自称人猿泰山的白猿,露出尖利的白牙,咬住了豹的后颈,一手钩住豹的脖子,一手用石刀向豹刺去,那豹受了伤,痛得跳起来,人和豹在地上滚做一团。阿库特怕伤到自己,赶忙跳到一个安全的地方去旁观。那豹负痛,连声大叫,那白猿却一声不响,用刀连连猛刺豹的心窝,最后,那豹支撑不住了,狂叫一声,全身抽搐了几下,再也不动了。

这时泰山站了起来,一只脚踏在豹身上,昂起头,长啸了一声,表示胜利。然后他走近阿库特,此时的阿库特和它族中的群猿,目睹泰山杀死猎豹,都惊得目瞪口呆。泰山知道猿类在动物中是较有灵性的,但和人类相比还是差得多。现在正是收服它们的好机会,但必须把话说清楚。于是泰山对它们说:"人猿泰山是无敌的猎手,在大海边我杀了莫拉克,当时,我本可以再杀死阿库特而做你们的王的,可是我放了它,让他当王。今天,我又一次救了阿库特，使它不致被猎豹吃掉。以后，阿库特或阿库特族中的大猿，不论遇到什么危难，都可以来找我人猿泰山。"泰山边说着，边做了个猿类遇难求救的手势，长啸一声，然后接着说："我救了阿库特，该算是你们的好朋友了，现在你们听好，今后假如我有事需要你们帮助时，只要你们听到我的啸声，就应该尽快跑来帮助我，你们能答应泰山吗？"

"我答应。"阿库特第一个答道。紧接着它的部下也一个一个表示了同意。

约定好了之后，大家又散开，各自去寻找食物，泰山也跟着它们一起走。

泰山留心观察着阿库特，见它总不离自己左右，样子非常恭顺，好像在尽着护卫的职责。有一次阿库特做了件事，事情虽不大，却让泰山很感动。阿库特找到了一些鲜美可口的食物，它自己没有吃，却诚心诚意地献给了泰山。从这件事，足可看出泰山在它心目中已有相当的地位了。

泰山每天和阿库特族猿群同行同止，仿佛他也是这个群体中的一员。不过也还是偶尔有不睦的时候，例如有些公猿，在它们吃东西的时候，泰山如果走近，它们会立刻防范起来，这是动物护食的自然表现，不只是对泰山，对它们的同类也是如此。再例如有时碰到母猿给小猿喂奶或喂食物，看见泰山，母猿也会发出低低的喝斥声。每遇到这种情况，泰山总是不介意地走开。也有时泰山不高兴，而有些小猿不知趣地纠缠他，泰山也会露出牙齿来，把它们吓跑。后来日子久了，彼此都习惯了，这类情况也就少了。

泰山和猿群在丛林中共同生活了一段时间，根据以往的经验，泰山知道要和兽类交朋友，必须厮混得很熟很熟，它们才不会忘记，因为它们的记忆力远没有人类那么强。如果它们还没把泰山记牢，泰山就离开了，一旦泰山有危难，它们由于记忆模糊，不一定肯赶来援救。所以泰山决定再随猿群生活一段时间。又过了一段时日，泰山默默观察猿群和自己的关系，觉得自己的目的已经达到了，于是决定离开猿群，依旧独自去探险。他虽然寂寞些，但比随着猿群走要快得多。那天从早晨起他就沿着海岸向北走，一直走了一整天，晚上，找了一株树，住宿了一夜。第二天，天刚亮他就起身，特意奔到海边去看日出，发现太阳升起的方向在自己的右边，因此他推断海岸是偏向西方的。然后他跳上树去，又继续往前走。

到了黄昏，泰山发现落日在自己的对面，至此，泰山才确信他所处的地方是个孤岛了。原来罗可夫把他放在孤岛上以后，他们自己驾着大船离开了，这里是绝少有船只来往的。泰山慢慢思索着，记起罗可夫的信上曾这样说："……你的儿子属于人类，应该比你进一步……"也许这狼心狗肺的东西真的会把杰克丢到蛮族部落里去呢！

泰山让自己的遐想思绪飞向了蛮荒中的蛮族部落，或许，蛮族中也有好心人，会救护杰克？但愿如此吧！不过杰克还是个襁褓中的婴儿，落在野蛮部落之中，再往好处想，又能有多好的命运呢？在蛮族中成长，从一懂事接受的就是他们的教育和生活方式，将来还能恢复为正常的人吗？如果落到的竟是吃人的蛮族部落，要么被吃，要么长大了也成为吃人的野人，这种未来，真是太可怕了!泰山觉得一阵从心里往外发冷,不敢再往下想了。他暗暗咬牙骂道:"罗可夫你这个畜生,有朝一日你再落到我手里,不要你狗命,我誓不为人!"

幸而此时泰山还不知琴恩也落入了罗可夫的罗网,只以为琴恩尚在伦敦家里,不会有什么危险,但她的心情也不可能好,挂念丈夫,更挂念儿子,不知她焦虑成什么样子了。如果泰山知道琴恩现在已被罗可夫的"金凯德"号带走了,他的焦急和悲愤,恐怕就不是"加倍"两个字能形容的了。

泰山心烦意乱,信步向丛林里走去。走了一会儿,他忽然听到有动物的爪子抓地的声音。但仅从这个声音,却判断不出是什么野兽。他顺着声音一路找去,只见一只猎豹,被一株倒下来的树压在地上,挣脱不出来,正在拼命挣扎。树干又粗又长,正好压得豹使不上劲。泰山打量这只豹,比前些天自己在海边杀死的那只要大得多,也威猛得多。

那只猎豹看见有人向他走来,更是焦急万状,大叫一声,想要挣脱出来,以便对付面前这个敌人。但它大半个身子被粗粗的树干压住了,杂乱的枝丫也妨碍着它的爪子,竟一点儿也动弹不了。

泰山一见,第一个念头就是想弯弓搭箭,把这只猎豹射死,但是,箭尚未发出,他又立刻改变了主意。因为泰山听了豹的悲鸣,又看它苦苦挣扎、终不得脱的可怜样子,不由得想道:他的处境不是和自己一样吗?同在难中,自己又何必乘豹之危,害它一死呢?况且,自己的弓弦、箭袋、围裙都已经改制好,不必再用这只豹身上的东西了。而按照兽类的习惯,除了充饥或自卫,也是不妄动杀机的,自己现在实在没有必要杀死这只豹。泰山走到近处仔细看了看那猎豹,见它虽被重物压住不能动,却并没有受伤。泰山想:我不如救了它,兽类也通人性的,将来它或许能做自己一个帮手。想到这里,他收了弓箭,向那只豹被压着的地方走去。

泰山嘴里故意做出一种表示善意和安慰的呼噜声,因为他只懂猿语,不懂虎豹之类的语言,但曾听到过虎豹在快乐的时候总是发出这种呼噜声。

豹听到泰山发出这种声音,果然停住了悲啸,静静地躺着,瞪大了眼睛,看着泰山,不知他到底要做什么。泰山继续发着呼噜声,代替说话,向豹表示自己并无恶意,并且要马上动手来救援猎豹了。

泰山走进杂乱的树枝中间,嘴里依旧响着表示友好的呼噜声。豹回过头来,目光灼灼地看着泰山,似有求援之意,但同时也露出了尖锐的牙齿,好像又在作自卫的准备。泰山从豹的目光能看出,它已不含多少敌意了。泰山走过去,用肩膀使劲去扛那树干,他的腿紧贴在豹的身边,人和豹已经靠得很近很近了,豹似乎也明白泰山在解救他,所以丝毫没有伤害泰山之意。

泰山用尽平生的气力,将那粗大的树干从豹身上一点一点移开了;豹觉得身上的重量在逐渐减轻,于是也一点点往外爬。不一会儿,豹的身体居然从树底下钻出来了。泰山见豹已得救,就把树干放下,站在一旁,看看豹。那猎豹也站在那里不动,呆呆地看着泰山。泰山心里暗暗好笑,自己拼命救出了猎豹,天晓得豹下一步会干什么?他会不会以怨报德,拿自己当一顿美餐呢?

但是泰山和豹对视了一阵,豹没有动,似乎没有要伤害泰山的意思,它在等待泰山从杂乱的树枝中走出来。

泰山跨过杂枝,站到平坦的地方了,和豹的距离不到三步。泰山忽然产生了一种想跳到高树上,迅速离开这危险处境的念头。蓦地他又改变了主意,好奇心使他想试试这头豹,看看它到底会怎样对待自己,观察一下这没有理性的野兽,懂不懂得感激,即使它发起兽性来,自己有武器在身边,也不至于吃亏的。

泰山打定主意之后,就大着胆,毅然决然地走到豹跟前,他观察着那豹,见豹把身子挪了挪,似乎有意让他走过。泰山昂然从豹的嘴边擦身过去,那豹竟丝毫没有要攻击他的表示。泰山往前走了几步,回头看看,那豹居然驯服地跟在他身后。但是,泰山此时仍无法断定,豹跟着他到底是什么意思,究竟真的是善意呢,还是等待时机乘他不备把他吃掉?泰山继续往前走,又仔细观察了他一段,才确知那豹没有伤害他的意思,它跟着泰山走确实出于友善,这下泰山放心了。

黄昏的时候,泰山闻到一股鹿的气味,于是他跳上树去,用丢绳套的办法套到了一只肥鹿。这次泰山想试试豹肯不肯和他同吃,于是他又学着虎豹类的呼噜声,因为他过去见到虎豹类捉到猎物,就是用这种声音呼唤同伴的。

这一招果然有效,那豹听到了泰山的呼噜声,真的很快奔了过来。当他看见泰山脚下有一只死鹿,同时闻到了血味时,眼睛里显出十分高兴的神情。不多一会儿,这只肥美的鹿就被这只荒野中的猎豹,加上一位英国贵族,共同分享,吃了个一干二净。

从此,在丛林里,这只猎豹一直跟着泰山,他们共同猎捕食物，共同食用，谁都不会独享。一段时间里，一人一豹，从没有为饥饿所困扰。

有一天，豹捉到了一头野猪，正在和泰山分食，忽然被一只狮子看见了。狮子远远地怒吼一声，冲过来就要抢那野猪。猎豹自知敌不过狮子，就逃到一株树的后面躲起来。泰山猝不及防，也飞身上了树。泰山到了树上腾出手来，就准备好绳套，打算套那狮子的脖子。狮子跑到死猪身边，正要昂起头来长啸一声，说时迟，那时快，还没容它叫出来，绳套已经套上了它的脖子。泰山一面收紧绳索，一面招呼那豹来帮忙。转眼工夫，那狮子已被吊得直立起来，两条前腿只能在空中乱抓了。泰山把绳子的上端拴牢在树上，跳下树来，骑在狮背上，拔出石刀，向狮子乱刺，豹也帮着咬那狮子。豹在狮的右边连抓带咬，泰山在狮的左面用刀猛刺，不让狮子有机会咬断草绳。没用多长时间，可怜这万兽之王，在泰山和豹的左右夹攻下，很快一命呜呼了。

泰山和豹取得了胜利，共同发出一声得意的长啸。

泰山却没有注意到，正在这时，恰好有二十几个脸上画得花花绿绿的黑武士，驾着一艘独木船向岛边驶来，这些人猛地听到这一声长啸，吓得心惊胆战，不知所措。

# 五
## 莫干壁

在这一段时间里，泰山常常沿着海岸，巡视全岛的形势。有时他也到岛的中部去考察，多次考察的结果都证明这确是一个没有人迹的孤岛。就连临海一带，也不像有人到过，一点点人迹也没有。其实海岸一带，是有过人迹的，只因为荒草太密，所以泰山也看不出来。费了很多时日，泰山认为徒劳无益，也就把这件事置诸脑后了。

杀死狮子的第二天，泰山领着新收服的猎豹，到阿库特族去。那群大猿看见泰山带了一头猎豹来，都大惊失色，四散奔逃。泰山急忙高喊着说明，它们才怯生生地陆续回来。泰山见此情况，心里暗想，要让大猿和猎豹和睦相处，不闹出互相杀戮的事来，恐怕很不容易，要达到这个目的，大约很要费些心思和时间。如果在平时，泰山也不想去做这种难度大、收效微的事，但是现在，自己独自一人困在孤岛，思念妻儿的心绪萦绕胸怀，时时折磨着自己，真是"才下眉头，却上心头"，找点事来做，也许好些，于是才决定不如借此消遣。大猿虽然头脑简单，到底有语言相通，还可以讲得明白，可是猎豹就难了。它从小杀生果腹，仇视异类的心理已经根深蒂固，也可以说成了本能，要消除它这种心理,泰山一时还想不出办法。

后来,泰山很动了些脑筋,终于想到了一个可以试用的驯豹方法,他从自己的武器中找出一根粗木棍,然后用绳套套住豹的颈项,拴牢在树上。大猿们看泰山把豹拴住,都好奇地围上来看。那豹怒不可遏,张牙舞爪,向大猿扑来,泰山就用木棍打豹知觉最灵敏的部位——鼻子,为的是让豹懂得,这些身材高大、长得像人的动物,是不允许吃的,否则,就要挨打。泰山用这种方法,连着训练了它几次,见它虽然咆哮发怒,却没有要咬泰山的意思。这是不是他感念泰山有救命之恩,不想在泰山面前轻举妄动呢?

豹受了几次这样的训练之后,对于木棍和大猿,似乎产生了联想记忆,不敢轻易冒犯了。豹对泰山始终是不反抗的,这到底是知恩不忘报呢,还是若干天来跟着泰山成了习惯?这倒很难推断。不过可以证明一点:野兽是可以被人类驯服的,只要方法得当。尤其像泰山这样,从小成长在丛林之中,对各种野兽的习性都很熟悉,他想出的办法又很巧妙,当然很容易收到效果了。把豹训练好之后,泰山就经常带着豹和大猿,一起出去游猎。同行同止,同归同出,猎到的食物,也是大家分享。在这一队奇特而又可怕的打猎者中,最足智多谋而又最为勇武的当然是泰山,因而他也就自然而然地在这一群中成了领袖。谁也不会看出,在不久之前,他还是伦敦上流社会中人。这一队狩猎者,有时也分散开,各自去猎取自己爱吃的东西,只要泰山一声呼啸,它们又都会顺从地聚在一起。

有一天,泰山从一棵树顶上跳下来到海边去,在海滩上躺下来晒太阳。他却没有发觉，在海边高处，有一个人正睁大着双眼，用锐利的目光在观察他。

那个人遥遥望见海边上有一个白种蛮人躺着在晒太阳，大吃一惊，立即转回头去，对他身后的人说了几句什么话。他身后有二十多个面貌凶恶、服装奇异的人，一个个争着探出头来，往下望这个从来没有见过、不知从哪里来的白种蛮人。他们藏身的地方在泰山的下风，所以泰山没有可能发觉他们。后来泰山翻过身去，脸朝着他们的时候，竟也没向那个方向看，那些蛮人趁泰山毫无防备，纵身跳下海角，伏在草丛中，像蛇一样爬行过来。

这群人身材高大，都强壮有力，头上包着头巾，脸上画着各种花纹，头巾上插着五光十色的羽毛，颈项间挂着各式各样的装饰品，奇形怪状，很是怕人。他们临近泰山时，站了起来，弯着身子，从背后向泰山袭击，他们手中都拿着粗大的木棍。

泰山静静地躺在那儿，想着琴恩和杰克，内心沉溺在痛苦之中，丝毫没有觉察到周围的变化。直到这二十多个蛮族武士扑到跟前，他才听到声音。他急忙跳起身来，用眼一扫，见对方人多势众，估计情况不妙，但总不能束手就擒，还是要设法迎敌。那些蛮人见他扑上来，都怪声怪气地喊叫着，一齐挥舞着木棍，直向泰山扑来。泰山也取出木棍还击，到底泰山的动作比他们快，一棒打去，最前边的一个人就被打倒了，那些人见状，心里不免有几分胆怯，泰山却乘胜跃身跳入人丛，举棍猛打。不大一会儿工夫，他就把二十几个蛮人，打得伤的伤、倒的倒，没有一个人再敢上前。蛮人退了下去，躲在一个地方，似乎聚在一起商议对策，企图对泰山发起反攻。泰山此时倒镇定下来，站在那里，含笑静候他们的动静。一会儿，所有那些人排成半圆形，举起长矛，截断了丛林的出口处，向泰山包抄过来。

泰山知道这次对手是有备而来，要使出厉害的招数了，他们不但拦住了去路，而且改用长矛。泰山考虑了一下，觉得要取胜，只有从人丛中杀出一条血路，因为身后无路可退，只有一片汪洋大海。泰山急中生智，想出了一个好办法：他高声长啸了一声，打算以此吓退他们，那些武士跳着喊着，正渐渐向泰山逼近，忽然听得这一声怪叫，完全不像人的声音，果然被吓得呆住了，脸上都现出恐惧的神色。

泰山长啸了一声之后，观察这些蛮人，只见他们一时不知所措，你看看我，我望望你，大家都不敢再采取什么进攻的动作，因为他们从来没听到过从人嘴里发出这样的长啸声，这个对手，到底是不是人？还是从来没见过的什么动物？他们怀疑不定了。

这群蛮族武士只犹豫了片刻，见对手怪啸之后并没有什么更可怕的举动，于是他们又壮起胆，准备继续前进，但是，还没走上几步，这次可真把他们吓得魂飞天外了。原来，泰山的一声长啸，本意只是想吓他们一下的，没想到却出现了意外的效果：那只猎豹和他那群大猿朋友听到泰山的啸声，都以为是在召唤自己，因而都依约飞速奔来了。那些蛮族武士正欲继续举步，忽然听得身后丛林中发出了杂沓的、奇怪的声音，便都不约而同地回头望去，看看背后到底发生了什么事，也许这个奇怪的对手，在林中有什么埋伏。华干壁人虽然都是勇敢的蛮人，可是这次他们回头看到的景象，却吓得他们全身的血液都仿佛凝固不动了：只见从丛林里，先跳出一头巨大凶猛的猎豹，眼露凶光，张开大口，正向他们扑来。更可怕的是在豹的后面,还有二十多个大猿,也气势汹汹地弯曲着后腿跳着,长长的前爪拖在地上,正以极快的速度向蛮人扑来。泰山喜出望外,没想到他平日训好的队伍,现在及时地赶来助战了。

目前这个阵势,无论华干壁人怎样耍棒挺矛,拼命抵抗,却怎么也敌不过猎豹的爪牙、大猿的利齿,再加上泰山的进攻,他们不要说还击,连防御的能力都不够了。不多一会儿,二十多个人,只剩下一个还活着,其余都尸横遍地了。剩下的这一个,就是乌干壁河流域华干壁蛮族的酋长,名叫莫干壁。他见来的人中只剩他一个了,胆怯地想要逃跑,却被泰山一眼看出来。

泰山虽然吃生肉,但从来不吃人肉,这时,他让人猿和豹尽情去吃那些死尸,自己却去紧紧追赶莫干壁,丝毫也不肯放松。跳上高冈之后,只见这孤身一人的武士径直向海滩上的一只独木舟跑去,泰山暗想:他们原来是乘这只船来的!

于是泰山加快脚步,追上了莫干壁,伸出一只手掌拍在莫干壁的肩上,莫干壁回过头来刚想抵抗,可他的速度怎及泰山呢,早被泰山掀翻在地,紧紧按住,想动都动不了了。

"你是谁?"泰山用非洲西海岸通行的土话问他。

"我叫莫干壁,是华干壁部落的酋长。"莫干壁竟能听懂泰山的问话,也用同样的土话回答他。

泰山说:"我可以饶你不死,但有一个条件,只要你能帮我离开这里,你答应吗?"

莫干壁说:"只要你饶我一条命,我自然肯帮你。但是有一点,现在你把我的战士都杀光了,没有足够的人手划桨,连我都

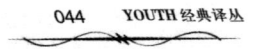

莫干壁被泰山掀翻在地。

无法离开这里了,你想,独木船自己怎么会走?"

泰山觉得莫干壁的话有道理,就边思索着边站起来,用手势让莫干壁也站起来。泰山把对方仔细打量了一下,觉得莫干壁也是个健壮的汉子,于是泰山就想领他一同回去,说:"你跟我来!"但莫干壁却不敢迈步,因为他想,再回到猎豹和大猿群中去,除了送命,没有其他可能,自己好不容易逃出来了,还能再回去吗?泰山几次催促,他都不敢走,最后他说:"不是我故意不服从你,我若去了,一定被那群野兽杀死!"

泰山说:"这一点你放心,我可以保护你不受伤害,它们会服从我,它们都是我的部下。"莫干壁听了,仍是半信半疑,迟迟疑疑地不敢走,他刚才亲眼看见自己的部下被大猿和猎豹撕咬得血淋淋的,一片惨不忍睹的场景,犹在目前,怎么肯再回去找死呢?但泰山执意要拖他同走,说:"你忘了刚才答应我的条件吗?你说肯帮我离开这里,我才救你性命,只一会儿工夫,你难道反悔了吗?"莫干壁听了,虽然仍感害怕,也只得磨磨蹭蹭跟着走了。走了不远,就到了刚才厮杀的地方,大猿和豹见他俩又回来了,都瞪着惊奇的眼睛看他们,而且又对莫干壁咆哮起来。泰山没管这些,仍拖着吓得半死的莫干壁向它们走去。

泰山依旧用原先用过的办法,先把莫干壁介绍给大猿,大猿毕竟有些灵性,又能听懂泰山的猿语,倒还好说,一经介绍,就已经明白了。可是轮到猎豹,这事就难办了。刚才泰山命令它杀黑人,它执行得很顺利,转眼之间,又命令它和这唯一的黑人和睦相处,它怎么也弄不明白。幸亏刚才它已经饱餐了一顿,现在肚子并不饿,所以也不急于捕食,只绕着莫干壁转了几圈,低低地咆哮着，以示发威，并不打算真的伤害他。莫干壁吓得紧靠在泰山身后，一步也不敢离开。后来泰山见莫干壁实在吓得太可怜了，而且这样下去也是不行的，非得把豹再驯服一次不可了。于是他抓起豹的头，边让它看着莫干壁，边用木棍打它的鼻子，豹已经有过一次经验，似乎比前一次容易领略一些了，打了一会儿之后，它就不再向莫干壁发威了，泰山总算又完成了一件工作。

莫干壁见泰山有这些常人所没有的本领，把凶猛得不得了的猎豹和大猿，都能训得十分听话，佩服得五体投地，也心甘情愿地接受泰山的调遣了。那豹受了泰山的第二次教训，再也不敢欺侮莫干壁，从此莫干壁也加入了这支队伍，成了其中的一员，与大猿和豹都相安无事。

从此以后，泰山、莫干壁、猎豹和阿库特，经常一同出猎，遇到猎物时，只要泰山一声令下，人和兽四个伴侣一拥而上。莫干壁常常看到那些猎物，面对这种强大的阵势，往往还没等他们进攻，就已经吓得缩成一团，束手就擒了，所以他们常常是毫不费力，手到擒来。得到猎物之后，大家均分，莫干壁分得的一份，总是去掉毛皮、用火烤熟了吃，泰山、豹子和阿库特则都吃生肉。假如谁吃完了自己的一份，还想去抢别人的，泰山都会去制止，这种情况，大多发生在猎豹和阿库特身上，泰山和莫干壁都不会这样做。

至于泰山吃生肉，我们不要误以为他连野人都不如，这是自幼养成的生活习惯。莫干壁虽是蛮族，但他从小就吃熟食，泰山则不然，是大猿把他带大的，从小就吃生食，在他进入文明社会之前，从来不知道食物应该弄熟了吃，因为猿群都是如此。他吃熟食，不过是最近两三年的事，为时很短，一旦回到荒野中来，很容易恢复旧日习惯，反而觉得生肉比熟食鲜美得多呢。泰山现在这种吃法，也是非常自然的。

其实这种吃法和口味习惯成自然的事，例子很多，顺手就可以举几个出来，例如在非洲东部肯尼亚的鲁道夫湖边，住着一个不吃牛羊肉的民族，尽管他们四周的邻居都吃牛羊肉，但他们世世代代仍然不受影响。湖边还有一个民族，是专吃驴肉的，他们四周的人都反对吃驴肉，他们也还是不改祖传下来的老习惯。还有些地方的人习惯于吃蜗牛、蛙腿、牡蛎，而且吃得津津有味，美不可言。因此，泰山习惯于吃鲜美的生肉，自然也就没什么可奇怪的了。

泰山心里一直在思索着，如何让那只独木舟能在海里航行。他费了好几天的工夫，用树皮上的纤维做成了一张帆篷。不过他也知道，尽管船帆做出来了，然而要教会大猿用桨划船还是非常困难的事情。他在这件事上花了很多心思，光是自己一个人去渡海，是绝不够的，不能不带上他们几个，万一遇上什么困难，给自己壮壮胆子，不也是好的吗！好在有了船帆，他和莫干壁两个人驾船，总是不成问题的。但是总要有个轮流替换，所以必须教会大猿用桨。如何教呢？会不会成功？都还是个未知数。泰山想来想去，还是只有在实践中去教。对这件事，自己和莫干壁必须有耐心，不花上相当长的时间，恐怕是不会成功的。猿群中阿库特是最聪明的，可以先从他教起。

有一天，泰山在和阿库特的闲谈中，有意谈到了航海，说驾船到海上去，多么多么有趣。阿库特听了，颇感兴味，还很有点儿心向神往之的样子。泰山乘机把打算乘独木舟划桨渡海的事告诉了他，阿库特不但满口答应，而且非常高兴，恨不得马上去试一试。

泰山从莫干壁口中，探听到这孤岛离大陆并不太远。那天莫干壁和他的武士们下船的时候，恰巧遇到海水涨潮，同时又刮着飓风，木船无法掌握得住，被风涛卷到海里去了。他们在海上漂了一整夜，到天完全亮了，才发现这个岛。当时他们还以为这就是大陆呢，若不是泰山把这孤岛的情况告诉莫干壁，恐怕他还始终以为这里就是大陆呢。

这位华干壁的酋长从来没见过更没用过船帆，所以他对泰山做的帆篷，一点信心都没有。在他们的本部，也就是乌干壁河的上游，那里的人，谁也没有航过海，因而丝毫没有航海的经验。只有泰山，对于自己做的帆篷一定能起作用抱着无穷的信心，认为只要有顺畅的西风，张起帆来驾驶这船，一定可以离开这座孤岛而抵达大陆。泰山坚信，如果不想法到大陆去，是决不会得救的，如果死守在这荒无人烟的孤岛上，恐怕一辈子也盼不到什么船只经过。

泰山寻找大陆的决心已定，于是找了一天有西风的日子，带了莫干壁、猎豹和大猿上了船，张起船帆，毅然决然地离开了孤岛。

这艘独木船上的船员，除泰山外，有莫干壁、阿库特、猎豹和十二个阿库特部下的巨猿，这支奇特的队伍，真是前所未闻、前所未见的。

# 六
## 一群骇人听闻的船员

这艘独木船上,载着人们从来未见过的由人兽组合成的一队船员。他们小心翼翼地躲过暗礁,慢慢驶到海面上。泰山和莫干壁管着帆篷,阿库特负责划船,小帆被西风张得满满的,顺利地向前行驶着。

泰山怕猎豹去骚扰别人,就让他始终蹲在自己的脚下。说也奇怪,那头巨大的猎豹自从被泰山收服了以后,对泰山一直服服帖帖、毕恭毕敬,像仆人对主人一样,但是对莫干壁,就远没有这样客气了。莫干壁坐在船尾,阿库特坐在他的前面,十二个满身长毛的大猿坐在莫干壁和阿库特的中间。才上船的时候,这十二个大猿还觉得新奇,东张西望,又没什么事可做,觉得很有趣。但一出海口,它们却回头凝视着岛上,似乎有恋恋不舍故乡的神情。

小船开始驶得还平稳,可是出了海口,帆受的风力加大了,船速也就快了起来,风势越来越大,波涛越来越汹涌,船在惊涛骇浪中前进,快得像离弦的箭一样,离海岸也越来越远了。

大猿开始骚动不安了,因为它们不惯于船身的颠簸,开始忐忑不安,惊惧万状。若不是阿库特想尽办法抚慰,它们也许会闹

独木船载着人们从来未见的人兽组合的船员。

起来,甚至把船弄翻。但是自然界的变化,不是人力改变得了的,风浪越来越大了,船的颠簸也越来越厉害,大猿的恐惧也越发增加,这时,尽管阿库特用尽了多种办法,也难产生效果了,于是泰山也帮着喝斥,唯恐它们大闹起来,会把船闹出事。经过很长时间,它们总算渐渐习惯下来,不再骚乱了。

西风不停地刮,所以船行得很快。大约十个小时之后,泰山已经发现在前面的水平线上,能隐约看见一线海岸了,那时天色却渐渐暗下来,所以看不准是不是乌干壁河口,泰山和莫干壁商量,主张把船驶到离岸最近的地方,暂时停泊下来,等到天亮,看清了情况再说。

船驶到海滨水浅处,由于周围黑暗,一不小心,船被打翻在海滩上,幸亏这些船员锻炼有素,动作还敏捷,大家很快在水中站稳,于昏暗中摸索到了岸上。那只木船也被巨浪推上了岸,一切都算平安。

大猿虽然身上有毛,却比人还怕冷,它们上了岸之后,都挤作一堆,借以取暖。莫干壁也感到冷了,他去附近找了些干草枯枝,点起火来,叫大家一起来烤,身上一暖,再加上一天的疲乏,不一会儿,莫干壁和大猿们就都睡着了。只有泰山和猎豹毫无睡意,他们是在丛林里生活惯了的,晚上照例是他们觅食的时间,现在已经觉得肚子有些饿了,所以便奔进丛莽找食物去了。

泰山和豹有时并排走,有时也一前一后走,人和豹轮番充当向导。泰山首先闻到了野牛的气味,他俩于是加快了脚步,悄无声息地向丛林深处跑去。

有一头野牛正在河边苇丛中睡觉,睡得正酣甜。泰山和豹渐渐向野牛靠近、靠近,已经走到它跟前了,那野牛竟丝毫没有察觉。于是,这两个猎手以迅雷不及掩耳之势,豹从右边扑上去,泰山从左边扑上去。可怜这头野牛毫无防备,连挣扎都没有来得及,已经成了泰山和豹的战利品。泰山指挥猎豹扑到牛背上去,狠狠咬住牛的颈项。野牛经这一疼,从梦中惊醒,跳了起来,狂叫了一声。泰山急忙拿出石刀,对准牛的左肩,用力刺了下去;同时,泰山的另一只手抓住牛的鬃毛。牛受了人和豹的夹攻,竖起尾巴,拼命向树丛中逃走。豹死死咬住牛的脖子不放,泰山也紧紧抓住鬃毛不放,跟着野牛奔跑,一边还不住地用石刀向牛身上乱戳。

野牛狂奔着逃命,却怎么也摆脱不掉他俩,于是拖着他俩,约跑了一百米远,终于支持不住了,最后被泰山的石刀刺穿了心脏,叫出了最后一声,倒地不动了。于是泰山和豹这两个生食者先饱餐了一顿。他俩吃饱之后,找了一个林深草密的地方,泰山枕在豹的身上,两个都沉沉地睡着了。第二天早晨醒来,泰山把他的全体船员都叫了来,拿野牛美美地当了一顿早餐,不一会儿工夫,就吃得只剩一架牛骨了。当中只有莫干壁是架起干柴烤熟了吃的,他一时还无法习惯吃生肉。

吃饱了之后,野兽们按照习惯还想睡一会儿,泰山就听任他们去睡,自己和莫干壁趁着这段时间去寻找乌干壁河流。约走了几百米远,迎面出现一条宽阔的大河,莫干壁把周围仔细端详了一阵,依稀能辨认出,这就是几天以前他和部下入海的地方。泰山就和他沿着河流走,最后证明这条河确实是流入大海的。离他们前一次船只覆没的地方,原来还不到一海里的路呢。泰山看这条河流很长，心想有水的地方，附近必定有土人居住，这时他又想起来罗可夫把他放到孤岛上时说过的话，如果他们真把杰克送给土人，说不定就在这一带，也许就是在这里登陆的。如果真是这样，在这一带的土人中找一找，他也许能打听到一点关于儿子的消息。

泰山和莫干壁找到昨晚停泊的独木船，两人用足了力气，一直向乌干壁河口驶去。那里沙滩很浅，加上潮水汹涌，行船很困难。他们用了相当长的时间才到达目的地，若等潮水退去，要进河又十分困难了。直到天色将晚的时候，他们才回到大猿和豹休息的地方。莫干壁拴好了船缆，就和泰山二人跑进丛林里去，果不出他们所料，那些大猿都爬在树上正摘野果吃，可是，那只猎豹却不知哪里去了。问问大猿，他们说，昨晚豹就没有回来，泰山想了想，以为他去找他的同类，不会再回来了。

第二天早晨，泰山就率领他的部下开始出发。临走的时候，泰山见独独少了猎豹，心里很有点儿恋恋不舍，像失去了一个亲密的朋友一样，于是就用平时呼唤它的声音叫着，希望能把它唤回来。他唤了一阵，远处果然传来了回音，听得出来是在很远的地方。泰山很高兴，叫大家等一等，大约半个小时，那只豹果然从丛林中连跑带跳地赶回来了。泰山见豹回来了，就准备开船，那只猎豹到了泰山身边，像一只驯服的猫，仍旧卧在老地方。泰山把所有的船员检点一遍，发现少了两只大猿。

泰山和阿库特又叫了好一阵，终不见那两只大猿回来，后来仔细询问，才知道大猿离岸，本来就十分勉强，又无法习惯海上的惊涛骇浪。有的大猿还说，昨天闹得最厉害的，就是今天没回来的这两个。据此，泰山估计它们是决不会回来了，即使把它们找回来，强迫同走，今后也会闹事，不如听任它们去算了，于是命令船员解缆开船。

　　船行了几个小时，渐近正午，泰山命令停船，让大家上岸去找食物。正在这时候，恰巧有一个卡维尔部落的土人，站在岸边的丛林里，泰山没有发现他，他却清清楚楚看见了泰山率领的这一群。这里的土人，过去是吃过白人的大亏的。这个人见到白人，非常恐惧，也来不及数数有多少数目，都是些什么动物，看清了为首的是个白人，便急忙逃入林中，奔赴几里路外自己的村落里去报信了。酋长坐在一个圆形的茅舍前，这茅舍是酋长专用的。这土人上气不接下气地慌忙报告："又有一个白人来了！又有一个白人来了！"酋长见他慌作一团，就让他喘喘气，慢慢说，尽可能说详细些。他瞪着眼睛歇了一阵，想了想，才接着说："是一个白人，还带着许多部下，他们乘着一条极大的战艇来的，离这里几里以外，已经登岸了。为首的是一个满面胡须的白人，他的部下却不是人，是一群比人大得多的大猿，里面似乎还夹杂着一只什么猛兽，我没来得及看清楚，就赶快跑回来报告了。看来，他们是来杀害我们的，要不就是来抢劫我们财物的，我看，反正咱们这次又躲不开一场灾难了！"

　　卡维尔酋长认真听完土人的报告，猛地站了起来，立即召集了正在游猎的武士、种田的农夫，命令各色人等都暂时放下手里干的活计，集合起来，共同对敌。酋长一声令下，立时战鼓如雷、猛士如云，几乎整个村落里的人都跑了来。他们以极快的速度，准备好了七艘战艇，载着大队画着花脸、插着羽毛的战士，持刀拿棍，军容整齐，大家一起上了船，按着口令，同起同落地划着桨，顺河流而下。这次出征和往次出征不同，既没有举行登登舞的仪式，也没有吹壮威仪的喇叭，这是因为卡维尔酋长细心。他知道白人厉害，这次必须悄悄地出征，不要这一套虚张声势的东西，趁敌人不备，偷袭过去，才能把他们斩尽杀绝，获得全胜，若是惊动了白人，白人手里精良的武器，对自己部落的人是非常不利的。

卡维尔酋长所乘的船比其他船只快，飞驶在船队的最前头，它一下子来到了河流的一个急转弯处，湍急的水流竟把卡维尔的船冲到了他要找的敌船旁边。真是冤家路窄，他根本没想到会这么快就不期而遇，以致还没来得及看清对面船头上那张白人的脸，两条船就已经擦舷而过了。这次，酋长的部下们反应却很快，他们霍地都站了起来，一边发疯一样地狂喊乱叫，一边向对面船上投掷手中的长矛。不过，这种战斗只持续了一小会儿，就在酋长的船和泰山的船又呼地靠在一起时，有一只可怕的大猿突然从船上站了起来，咆哮着，伸出毛茸茸的长臂，抓住了卡维尔武士手中伸过来的长矛，这个动作像闪电，发生在一瞬间，让人猝不及防。如果卡维尔能早一点儿弄清楚对面白人的那条船上驾船的究竟是些什么船员，他一定会丢下一切，偃旗息鼓，赶紧躲回远处他那安全的小村子里去。这船上的船员，只消一个，就足够他们全力以赴去对付，现在他们成群结队地一齐来，自己这点儿武士，哪里是他们的对手呢？

此时，其他黑人也都吓坏了，可是已经面对面了，逃跑显然来不及，除了抵抗没有其他的道路可选择了。紧接着，后面的船也冲了过来,由于有前面的船挡着,他们只听到喊叫,知道已经交手了,却看不清楚,船上的武士还热衷于去参加战斗,帮助自己的伙伴,他们只以为敌人不过是白人和他的土著随从。于是,很快形成了这样一个阵势:他们的船都云集在泰山船的周围。可是当他们看清楚了泰山的船上竟是这么一批狰狞恐怖的船员时,他们已不待酋长的命令,一齐掉转船头,拼命向上游划去。可怜最后一只船上的人,直到离大猿的木船很近时,才明白面临的是什么。当他们接近泰山的船,正手足无措时,不知泰山向阿库特和猎豹低声咕噜了一句什么,还没等那些武士逃开,豹子就带着令人牙齿打颤的吼叫声,向武士们扑了上来,而在船的另一头,又爬上来了一头大猿。

这只木船简直遭了空前的劫难:船的一头,豹子用它的利爪和锐齿,制造了一场大混乱,与此同时,阿库特又在船的另一头,用它的大黄牙,尽情地撕咬着够得着的任何人的脖子。而且在它向船的中部移动时,还把挡在前面的吓破了胆的黑人顺手抓起来扔到河里去。

卡维尔现在正忙于和进到他船上的猛兽进行格斗,根本腾不出手去帮其他船上的自己人。冷不防,一个高大的白人突然抓住了他手里的长矛,相比之下,壮实的卡维尔在他面前不过像一个初生的婴儿。这时,满身长毛的巨兽已经打败了卡维尔的部下,他手下的一个小头领正和他肩并肩地对付着敌对的兽群。卡维尔英勇地抵抗着他的白人对手,他已经感到胆怯了,隐隐觉得死亡正在呼唤着他,而他目前唯一能做的,只是使自己如何死得更有价值一些。但是,事实很快就证明了,他的拼死努力是毫无效果的。在他对手超人的体力和灵活面前,他最终被捏住了脖子,让对手按到了木船底板上,一动都不能动。

现在卡维尔只觉得天旋地转,两眼看到的东西渐渐变得模糊起来,当他挣扎着要喘出性命交关的一口气时,才觉得自己的胸口痛得要命,他很快就失去了知觉。

等他重新睁开眼睛时,让他吃惊的是,自己并没有死。他被结结实实地捆了起来,放在木船的底板上。一头大豹子蹲在他旁边,两眼一眨不眨地瞪着他。卡维尔被吓得魂飞天外,不由得打了个冷战,赶快又闭上了眼睛,静等着这头凶猛的家伙扑上来,结束自己没完没了的恐惧。可是过了好一会儿,并没有锐利的牙齿撕咬自己颤抖的身体。他又鼓起勇气睁开了眼睛,原来在那头豹子后面,还蹲着那个把他打败了的大个子白人。

只见这白人正划着木船前进,卡维尔努力转过头去,看了看他身后的船上,却见他的武士们也在帮着划船,在武士们的身后,蹲着几只毛发披散的大猿。他明白了:自己的部下都已成了俘虏,他们只能唯命是从。

泰山看见这位黑人头领醒来了,就问他说:"你的武士们告诉我,你就是许多人的酋长,你的名字叫卡维尔,是吗?"

"是的。"这位黑人酋长回答说。

"你为什么要攻击我?我可不是来打仗的,我是抱着友好的态度来的。"

"三个月前,有另外一个白人,也说是为友好而来,可是等我们拿出了山羊肉、木薯和奶招待他时,他却用枪向我们发起了攻击,我们措手不及,毫无防范,被打死了好几个人。这个白人还带走了我们全部的山羊和许多妇女、孩子。"

"我可跟他们不一样。"泰山回答道,"我不会伤害你,你们也没有必要攻击我。请告诉我,那个坏白人长得什么样子?我正要找一个诈骗过我的人,你说的那个白人,很可能就是他。"

"他的脸长得很难看,有一脸的黑胡子,他可真是坏透了,真是坏透了!我一点儿也没夸大。"酋长提到此事,不由得露出了仇恨的神情。

"他是不是带着一个小娃娃?"泰山急匆匆地问道,在等待酋长回答的这一小会儿,他的心几乎都要停止跳动了。

"不!没有孩子,"卡维尔回答说,"那个白色的小孩子不是和这一群人在一起的,那是另外的一群人。"

"另外的一群?"泰山不由得叫了起来,"哪个另外的一群?"

"是另外一群,也就是那个坏透了的白人紧紧追赶的几个人,他们是一个白人男子和一个白人妇女,还有一个小孩子,以及六名莫苏拉人随从。他们在那个坏蛋那一群人到来之前的三天,就顺着河往上游去了。我猜,他们是从那个坏蛋那儿逃出来的。"

一个白人和白人妇女,还有一个小孩!泰山不由得迷惑起来。这个小孩肯定就是他的杰克,可是这一男一女又是谁呢?难道是罗可夫的同伙吗?他和这个妇女同谋帮着俄国恶棍罗可夫偷了婴儿吗?如果情况真是这样,那么,他们一定是想回到文明世界,或者是想要一笔报酬,也许是以孩子为人质,敲诈一笔赎金。

泰山顺着这条思路继续往下想:现在罗可夫已循着他们的踪迹向内陆找去了,沿着这条河上去,罗可夫最终很可能追到他们,除非他们被吃人部族俘虏,或已经被他们杀害,这种可能性是很大的,尤其是乌干壁河的上游一带,这正是泰山认为罗可夫要把那个婴儿送去的地方。

泰山一边和卡维尔谈着话,一边向上游划,直奔卡维尔的村子而去。卡维尔的武士们分乘三条木船,都用力划着桨,他们不时向旁边投去一种恐惧的眼神,因为他们每人身边都坐着几个可怕的"乘客"。阿库特群中的三个大猿已经在遭遇战中牺牲了,但他还有六七个令人恐惧的伙伴,此外,还有猎豹、泰山和莫干壁,武士们始终不放心,不知道这些战胜者将怎样处置他们。

卡维尔的武士怎么也没想到他们这一辈子会遇到这么一伙乘客,他们总觉得自己说不定什么时候会被他们的捕获者扑上来撕个粉碎。而事实上,他们并不明白,泰山、莫干壁和阿库特费了多大的劲才管束住这些咆哮的、坏脾气的猛兽,使它们不能伤害那些因划桨而不时在它们身边蹭来蹭去的、富有诱惑的赤裸光滑的躯体。

在卡维尔的营地,泰山和他的部下只停留了一会儿工夫,吃了黑人提供的食物,并和卡维尔商量,请他分派十二名划桨手去驾驶木船。卡维尔当然愿意对任何要求都应承照办,只求早些送走这群可怕的瘟神。可是当他的允诺出口之后,转脸一看才发现,要真正做到他所应承的话,却不那么容易——因为,就在卡维尔刚一答应泰山的要求时,那些尚未逃散的男村民,一下子都意识到了什么,都不约而同没命地逃进丛林里去了。卡维尔要分派人时,才陡然发现自己已经成了光杆司令。

泰山忍不住笑了起来。

"看起来,他们不愿和我们一起走了。"泰山说,"不过,你先待在这儿,卡维尔!稍等一会儿,你就会看到你的人又回到你身边来。"卡维尔有点儿将信将疑。然后人猿泰山就站起身,让莫干壁和卡维尔都留下来,自己招呼了那一伙部下,迅速地进到丛林中去了。

半个多小时后,丛林仍像以往那样,回响着平素常有的风声、树叶声以及虫鸟叽叽喳喳的鸣叫声,打破丛林的沉寂。此时,只有莫干壁陪着卡维尔守候在他那座村寨旁。所不同的是,一个是满腹忧惧和狐疑,一个却是满怀信心。

忽然间,从远处传来了一阵可怕的声音,莫干壁能辨别出这是人猿泰山挑战的吼叫,表示了一种强硬的号召。接着,从四周成半圆形的范围内,发出了一声声尖厉的号叫、低沉的吼声,时起时伏地夹杂着猎豹饥饿的、令人毛骨悚然的咆哮声。

## 七
## 误入敌手

这时,两位野蛮人——卡维尔和莫干壁都蹲在卡维尔的小屋门口,彼此互相看着。卡维尔心里像有一头小鹿乱撞,忐忑不安,不知将要发生什么事。他十分惊恐地小声问莫干壁:"这是什么声音?丛林里怎么了?"

"这是宛那(头领)泰山和他率领的一群部下。"莫干壁镇定地回答说,"不过,他们在干什么我可不知道,也许,他们正在吞食你的那些逃进森林里的人。"

卡维尔听莫干壁这么一说,不由得睁圆了眼睛,吓得浑身颤抖起来,两眼直勾勾地望着树林子,因为他有生以来还从来没听见过这样凶猛的吼叫喧闹声。声音越来越近了,现在已能清楚地听出,声音中还混有男人、女人和小孩的哭喊声。过了一二十分钟,这混杂而巨大的声响越来越强,就像一阵如蝗的飞石,直向村庄外的围栏扑来,眼看就要将围栏推翻。卡维尔慌乱地站了起来,身不由己地撒腿要向后面的什么地方逃跑,说时迟,那时快,没等他开始行动,莫干壁就一把抓住了他,其实,泰山对此早有安排,莫干壁只是奉命行事罢了。

不一会儿,一群吓坏了的土人从树林里窜了出来,没命地向唯一能遮蔽他们的小屋跑去。他们像饱受惊吓的羊群，你拥我挤，乱成一团地向前冲来。而在他们后面，赶着他们并控制着他们的，却是泰山，跟在他后面的还有猎豹和阿库特为首的一群大猿。

很快，泰山就到了卡维尔面前，唇边仍带着那种卡维尔熟悉的平静的微笑，说："现在，你的人可是都回来了，你看到了吧，我的兄弟！现在你总可以挑选一些人，给我划桨驾船，一道走了吧？"

卡维尔此时还是吓得魂不守舍，只好壮着胆子跟跟跄跄地去招呼自己的人，叫他们从小屋里出来，可是，喊了半天，没有人敢答应他的召唤。

"告诉他们，"泰山建议说，"要是他们不来，我可要派我的部下把他们赶出来了。"

卡维尔照着泰山的吩咐去做了，没多一会儿，全村的人就都从小屋里或其他躲藏的地方跑了出来。他们的眼睛都睁得大大的，害怕地盯着那些在村子里游来逛去的野兽。卡维尔很快就选派了十二个武士跟泰山走。这可怜的十二个人，吓得连黑脸都几乎要变白了。因为他们一想到在狭窄的木船中，要时不时地和猎豹、大猿磨来蹭去，就不由得倒抽几口冷气。接着卡维尔又向他们讲明，如果他们之中有人敢逃跑，宛那泰山和他的部下就会去把他们捉回来。这些人听了这个通令之后，只好垂头丧气地走下河岸去，坐到木船里各自的位置上。他们的酋长至此才算松了一口气，目送着泰山的木船和他那一群可怕的部下。在黑人船员努力划桨下，木船转过河湾的一个拐角处，消失在上游另一段河道中。卡维尔心里暗暗感谢上帝,可把这一群瘟神打发走了。

一连三天,这支奇异的船队沿着乌干壁河溯流而上,深入到人迹罕至的蛮荒国土里。在这几天里,十二个黑人武士中,到底有三个还是成功地逃跑了。不过,有趣的是,阿库特的大猿群中,有几个居然掌握了划桨的窍门,所以,泰山并没有因黑人船员的逃跑而受到挫折。

事实上,泰山完全可以自己一个人沿着乌干壁河更快地向前行进,不过他相信,通过乘船前进,更便于他把这一群野兽尽可能有效地管束到一起,他觉得留着它们总会有用的。他们每天停下来两次,登陆狩猎寻找食物果腹。晚上,他或是在岸边陆地上,或是在河心星星点点的小岛之上安稳地睡觉。

在他们的前边,并不是没有土人村寨,可是这些村寨中的土人一发现这队可怕而奇怪的小船队,就吓得魂飞魄散,立刻都逃进树林里去了。所以,他们经常会碰到空空如也的村寨。尽管泰山极希望找到一两个住在河边的人,以便打听一下他要追踪的人的消息,但这愿望一直没法实现。

后来,泰山觉得这样走实在太慢了,还是决定一个人从陆地上赶路,于是把他的部下留在船上,跟在他后面走。他对莫干壁讲明了他的想法,并且指令阿库特带着大猿,跟着莫干壁走,不准离开。

"几天以后,我就可以和你们碰头了。"他说,"现在我要先走一步,去看看我要找的那个坏蛋白鬼究竟怎么样了。"

跟大家说好了之后,到下一次休息时,泰山就弃舟登岸,很快就在他那一群船员的视线中消失了。

他到达头一两个村子时,村子里的人都已逃光了,这表明泰山这一行的消息传得很快。到了傍晚,他终于来到一个由栅栏围起来、有一簇草房的小村,这里有一两百土人居住。当泰山在一株大树上逡巡着跳来荡去的时候,村子里的女人正在准备晚饭。

人猿泰山这时真有点儿拿不定主意,究竟怎样他才能进村去,和这些村民交谈,而不至于惊吓他们或激起他们好斗的野性。他现在一点儿也不想和他们交手厮打,因为他这会儿肩负着一项重要的使命,这个使命比他每遇一个部落就开打一番可重要得多呢。

他想了很久,最后到底想出了一个主意。于是他躲藏在一棵大树的浓密枝叶间,模仿猎豹发出粗哑的吼叫声。这时,村子里的许多黑人,都抬起头来向周围大树的枝叶间望去。天色已渐渐黑下来了,他们不敢冒险走进树丛,泰山也正好借此隐藏住了自己,躲过了人们搜寻的目光。趁此机会,泰山又发出了一声他所擅长的那种令人胆寒的长啸,接着又故意摇晃了一阵树枝,然后跳到了栅栏外面,以一头鹿的速度蹿到了村子大门附近。停了一会儿,他飞起一脚,踢倒了用树藤绑起的小栅栏,对着土人用他们的语言喊话说,他是他们的一个朋友,不过是来借宿的。

泰山很了解这些黑人的性格,他刚才在树上装出猎豹的咆哮声和大猿的怒吼声,已经使这些黑人的神经很紧张了,而他又弄倒了他们的围栏,在夜色朦胧中在大门口游荡,这更使他们产生了不知所措的恐慌。所以,他们不敢立刻回答泰山的招呼,也就没什么可奇怪的了。特别是在夜晚,对于来自栅栏以外的声音,他们总以为是出自什么怪物、魔鬼或野兽。

"让我进来,我的朋友们!"泰山喊道,"我是一个白人,在追逐另外一个非常坏的白人。那个坏蛋白人前两天就从这条路过去,我要赶上他并惩罚他,因为他对我和你们都做过恶。如果你们怀疑我对你们的友好,我可以用实际行动让你们信得过我。刚才有头猎豹在你们村子外面,我可以把他赶回树林里去,不让他伤害你们,如果你们不让我进村,或者不把我当朋友,我可就不管了,任凭猎豹进去,吃掉你们几个人。"

有好几分钟,村里人都沉默着。后来,终于有一个老人说话了:"如果你真是一位白人朋友,我们可以放你进来住宿,但你必须首先替我们赶走猎豹。"

"那好极了。"泰山回答说,"听着!你们可以听到猎豹被我赶走的声音。"

泰山很快又蹿回到树上,这次当他钻进枝叶浓密的地方时,故意弄出很大的声响,同时,又装出猎豹的咆哮声,以便让树下的人以为这头豹子还蹲在那里。当泰山从树上蹿到村子当中的一株大树上时,他把树身猛摇一气,又在树上跳来跳去,不时地晃动树枝,把折断的树枝扔到树下,大声吼叫喝斥,同时还装出豹子发怒的咆哮声,就好像他追赶着猎豹,一直从村子当中向丛林深处走去一样。泰山完全在演独角戏,像高超的演员在演口技一样,非常逼真。村子里的黑人侧耳细听,都对泰山赶走豹子的事信以为真。

又过了好一会儿,泰山回到村子的大门前,高声喊着说:"我已经把猎豹赶走了,现在可以让我进去了吧?你们说话要算数的哟!"

有相当长的一阵子,能听到栅栏里的黑人在激烈地争论着,表示着各种担心。最后,终于有五六十个武士走到大门边来,从里面向外窥视了一阵,想弄明白外边的人是不是还在那里等着,他们到底该不该让他进来。当他们看清楚了外面当真只有一个白人,而且竟然是一个半裸的大汉,除他之外,再没有别的人和动物时,他们终于松了一口气。泰山用平静而礼貌的语调,向他们表示了友好,再一次说明了来意,黑人这才把大门打开了一道缝,请泰山进来。

当泰山进来,大门再一次关紧之后,这些黑人的安全感似乎又恢复了。当泰山慢步走向酋长的小屋时,周围除男人外,竟还围上来一大群妇女和小孩,他们好奇地看着他。

泰山和酋长寒暄了几句,谈话渐渐从容了起来,他们对他不再那么害怕和戒备了。从酋长的口中,他知道罗可夫从河上过去有一个星期了。酋长说这个人头上长着角,还带了一群魔鬼,后来酋长又说这个长角的坏蛋曾经在他们村里停留了很久。其实,这不过是土人惯用的一种添油加醋的夸张,泰山对此一点也不感到惊讶,他很熟悉这些土人的毛病。其中他最感兴趣的是,他追踪的路线没有错,罗可夫确实在几天以前从这里走过去了,而且是向着内陆走去的。他坚信,罗可夫只要进入内陆深处,在那样的环境下,是不可能有什么作为的。泰山心里已有了结论:对手逃不出自己的手掌。

泰山又与酋长谈了很久,经过反复询问,交错对证。泰山又从酋长的口中得知,在俄国人到来之前的几天,还有一队白人走了过去,他们一男一女,带着一个小男娃娃,并有几个摩苏拉人随从。

泰山对酋长说,他的部下大约明天就会乘木船到达此处,希望酋长以友好的态度接待他们,用不着害怕,因为其中有个叫莫干壁的黑人,会管束住那一群野兽的。只要酋长和他的人友善相待,他们不会无端伤人。

泰山最后说:"现在我要到树下去躺一会儿,睡个觉,我太疲倦了,不要让什么人来打搅。"

酋长给泰山提供了一间小屋,但是泰山根据过去住这种小屋的经验,宁愿住在露天的大树下。他暗自盘算着,住在树下行动起来更方便一些,因此他借口说,为了防范猎豹夜里再回来,他还是在外面睡的好。酋长觉得有道理,也就很高兴地让他到树下去了。泰山此时认为,他如果能给土人留下他具有某种神秘力量的印象,对自己会有很多好处,以后他就可以比较容易地进出这里土人村落的大门了。而且他相信,如果他来去都显得很神秘,也会给土著们那简单幼稚的头脑里留下一种难以磨灭的印象,所以他就有意这样做了。当他睡足了一觉醒来时,已经是深夜了,村子里的人都已沉沉入梦。他睁开眼清醒了一阵,翻身爬起来,活动了一下手脚,转身蹿到树上,然后悄然无声地潜入黑暗的丛林里去了。

这一天的下半夜,人猿泰山在丛林的上层和中层间跳荡着飞速前进。他多半喜欢从树梢上走,因为在这里月光清亮如水。他对丛林里的一切都太熟悉了,他的一切感觉都能适应丛林的环境,即使在漆黑如墨的浓荫下,他也能自如地迅速前进,就像我们在某条大街,譬如百老汇大街、国会街上那样行走自如。在这里,在这迷宫一样的丛林里,在我们看来几乎没有道路可走,然而对泰山来说,却能充分发挥他的敏捷和智慧,保持高速度的行进。天亮的时候,他停下来觅食,吃饱了之后,又睡了一两个小时,然后循着河岸的方向,一直追到下午。有两次他都遇到了黑人的村子,尽管每次他接近他们都有一定的困难,但他都很顺利地平息了他们的恐惧和好斗心理,多少都打听到了一点儿有关那个俄国坏蛋走过的信息。

两天之后,他依旧循着乌干壁河前进,这次终于来到了一个大点儿的村子。这村子的酋长是个容貌丑陋的家伙,牙齿磨得很尖利,一看就知道他们是个吃人的部族。不过,接待泰山时他却显出颇为友好的样子。

泰山因为连着几个昼夜赶路,确实很疲倦了,就决定在这里好好休息几个小时,这样,当他一追上罗可夫,就可以有足够的精力对付他。泰山估计,用不了多长时间,就可以追上罗可夫了。

这个村子的酋长告诉他,他要找的那个大胡子白人,当天早上才离开这个村子,因此泰山更加肯定,用不了一小会儿,他定会追上罗可夫。至于其他村寨人说的另外一队白人,这个酋长却说没有看见过。泰山对这个样子不像好人的酋长有点儿不大喜欢,尽管他对泰山的态度挺友善,但总有些迹象表明,他似乎对这个半裸又没带礼物来的白人怀着什么企图。

泰山毕竟太需要休息了,肚子也饿了,在这里弄点儿吃的,怎么说也比丛林里方便,而且,在这里他无须担心什么人、什么野兽或什么鬼东西。于是泰山要了点吃儿的,饭后就躺在一个小屋旁的阴凉处,蜷起身子,香甜地睡着了。

就在泰山刚刚睡着不久，酋长就叫来了两个黑人，在他们的耳边低声吩咐了些什么，这两个黑人就飞跑出村子，沿着河岸向西奔去了。

在村子里，酋长叫他的村民尽量保持安静，不许任何人走近睡着的客人，也不许大家大声说话，或弄出什么声响吵醒或搅扰这半裸白人的酣睡。

大约三个小时之后，有好几只独木船从乌干壁河的上游直驶下来，径直到了村边。酋长早在岸上等着了，一看见船只，他就把握在手里的长矛向头上一举，原来，这是他和船上人事先约好的暗号，表示泰山已经在他村里了。方才酋长派出去的两个部下，此时也坐在船头上，是酋长特地派他们两个去送信的，并命令他们在最短的时间内尽快赶回来。他们的身后，就是来捉泰山的一群人，划船的人们正在拼命地划着。

没有几分钟，独木船就靠了岸。首先上岸的是两个武士，随后跟着他上岸的，有五六个白人。一到岸上，那个为首的大胡子白人就对酋长说："方才你派来的报信人所说的那个我要找的白人大汉，现在哪里？"

酋长说："他就在这里，在我村子里睡得正香呢。我已经吩咐了我的部下，不要去惊醒他的好梦，以便等你回来。开始，我不知道他就是伤害过你的人，后来，是他自己追根问底，向我打听你的去向，我才知道他就是你所说的人，你可能以为他还在荒岛上吧。要是你不跟我说起你和他的许多往事，我绝对想不到他就是那个人。我若不想方设法留住他，他也许已经追上你了。若真那样，你非遭他的毒手不可！你先去看看，究竟是不是这个人，别弄错了，倘若他是你的朋友，不是你的仇敌，好在我还没伤害他一根毫毛，但如果他确是你的仇敌，我给你出了这么大力，你可是非得酬谢我不可了。咱们先说好，你一定得给我一支来复枪和许多子弹才成。"

那满脸大胡子的白人说："你办得很好，多谢你这样大力帮助我，来复枪和子弹，我当然是要给你的。不论这个人是我的朋友还是仇敌，你都是尽了全力的。"

酋长讨好地说："我始终是真心帮你的。现在就请你快些跟我来，去看看那个白人大汉吧，他就睡在我的村子里。"说着，他就领了大胡子白人回到村中，走向泰山睡觉的空地。

走近泰山时，他俩站住了，身后还有二十多个武士跟着，酋长做了个手势，那些黑武士就站住了。

那个面貌狰狞的大胡子白人仔细端详了一下熟睡的人，正是泰山，唇边忍不住浮起一丝阴险的笑意。酋长看了才来的白人一眼，意思是询问他到底是不是。那白人点了点头，表示这就是他要找的人。酋长于是向后面的黑武士打了一个招呼，指着那个睡觉的白人，命令把他捆绑起来。

那些黑武士很快地一拥而上，按住泰山，把他捉住了。等泰山清醒过来，他已经被紧紧捆住，动弹不得了。他们把泰山提起来，仰面朝天狠狠往地上一丢。泰山向人群中扫视了一下，立刻从人缝中看见了罗可夫。罗可夫此时也死死地盯着泰山，带着阴险而得意的冷笑向前走来，走到泰山跟前说："混蛋！今天你又领教到我这个俄国贵族的厉害了吧？你还想和我罗可夫较量吗？"说着，就抬起脚来，向泰山头上脸上乱踢，边踢边说："这就是对你的欢迎仪式。今晚,在我的朋友艾索普族人把你吃掉以前,我还有话要告诉你,那就是你的老婆和孩子遭到了什么灾难,现在怎么样了,以及我给他们谋划的将来到底是个什么样子。我想,在你死之前,一定想知道这些吧?"

## 八
## 死亡之舞

黑夜像死一般的沉寂，笼罩着丛林，一切都跟浸在墨汁里一样，什么也看不见。这时，在郁郁葱葱的繁茂草丛中，却有一头毛茸茸的大动物，在潜伏前进。它慢慢地向前移动着，脚步极轻，一对睁得圆圆的眼睛在黑暗中射出两束冷森森的青黄色光芒，炯炯有神地不断向四周扫视。它有时也抬起头来嗅一嗅，想从气味中辨别、寻找什么。丛林中有许多小动物，在树枝间跳跃，发出轻微的响声，它也停住脚步，静听一会儿。但它知道这些声音都不是它要找的东西，凭着它仅有的智慧，它似乎觉得它要找的东西应该在东面。于是它顺着嗅觉的导引，矮下身子，移动着四足，缓慢前进。它知道自己的嗅觉是可靠的，前进的方向一定没有错。这时，它的肚子已经很饿了，但是出于忠心的焦急战胜了饥饿，他懂得不能在这个时候停下来觅食。

它不停地向前走，整整走了一夜。到第二天早晨，为了补充体力，它才不得不捕捉一头小兽来充饥。它很快吃完了以后，又继续往前走，走到傍晚，才到了一个较大的蛮村。那豹子绕着长长的栅栏，用鼻子在地上认真地嗅着，一直嗅到栅栏最后面，一座茅屋的近处，突然止了步，侧着头，仔细谛听着里面乱哄哄的声音。

长期生长在丛林里的野兽的听觉，本来就比人要灵敏得多，人们听不到的声音，在他们耳中却是十分清楚的。那猎豹听了一阵，果然被它听到了它费尽心机要找的声音。它竖起尾巴，后半身一伏，然后猛地一蹿，就跳进了蛮村的栅栏。它矮下身子，轻轻地向茅屋后面黑暗巷子的方向爬去。

蛮村里面现在十分热闹，因为夜间要开吃人的宴会，那些女人显得特别高兴，正闹得不亦乐乎。大家争先恐后，在广场上挑选着各自的好位置。中间空地上已经点燃了一堆火，火上支着木架，木架上挂着一个盛水的罐子，在离火堆不远的地方，立着一根粗大的柱子，这根柱子就是准备绑那将被割碎吃掉的人的。在柱子和火堆的四周，站满了黑武士，他们围成一个圆圈，脸上都画着五颜六色的脸谱，在那里说说笑笑。今天他们特别高兴，因为在他们这个村寨中，像这种大吃活人的宴会毕竟不多，也该算是难得的盛典呢。因此，为了表示庆祝，他们不但在眼圈、嘴角处都着意地涂抹了花纹，就连胸膛和臀部也都涂得五颜六色，脖子上还挂着各种颜色的羽毛，这就是他们节日的盛装。

全村子的人都希望宴会早点儿开始，他们好痛快地大吃一顿。准备受宰割的泰山这时却被捆在茅屋里，还在想，怎样使用他过人的臂力，挣断绳索逃出去。狡猾的罗可夫似乎也在防着这一手，不时走进来看看，发现泰山果然有这个企图，他就指挥黑武士在泰山身上再加几条绳索。泰山挣扎了几次，自己觉得力量已经用尽，再努力也徒劳无益了，只好听天由命，躺在那里等着死神的降临。

在往昔的许多年里,泰山曾经有好多次来到生死关头,所以他并不觉得十分害怕。多次在面临死亡时,他往往都能想出办法死里逃生。今天他仍然没有改变常态,置生死于度外,但并没有放弃,他在等待求生的机会。他在心态上和往日不同的是,过去他是孑然一身,现在却有了妻子和孩子,自然不免牵肠挂肚。他暗想:"我若死了,我的亲人怎么办?幸亏琴恩还平安地住在大都市伦敦,见我久不回去,虽难免悬念,但好在还有几个至交好友,可以经常去宽慰她、帮助她,或许能减轻一点儿她的愁苦。最让我不放心的却是杰克,罗可夫既已说了那样狠毒的话,相信他是说得出做得到的,断然不肯放过杰克,一定会加害于他。如果我能逃过大难而不死,还可以想法去救他,然而看今晚这个架势,我这个丛林之王,落到这步田地,恐怕是难逃一死了。我若不在人世,还有谁能去救杰克?可怜我和琴恩只生了这一个宝贝儿子,他若被罗可夫害了,我可真是死不瞑目!"

罗可夫从下午到晚上,接连无数次来看泰山,每次都不忘对泰山进行报复性的凌辱,但是他始终没得到泰山的反应。泰山既不叫喊,更不求饶,这让罗可夫特别失望,却又无计可施。最后他想出了一个恶毒的念头来给自己解气,他决定宴会开始后,在泰山被碎割之前,自己亲口告诉他,琴恩并没有平安地住在伦敦,而是也在自己的掌握之中,让泰山知道他再也保护不了自己的妻儿了,好让他在临死之际,带走一个难于安宁的灵魂。

接近黄昏的时候,泰山听到村寨中央的广场上腾起了一片喧闹声。这种大吃活人之前死亡舞会的场面,他虽然没有亲身经历过,却听说过。泰山知道吃人的蛮族生性残忍,他们吃人时,会把俘虏捆在木柱上，像大猿一样跳起欢快的登登舞。然后各人拿着一把刀，你一块、我一块，纷纷去割俘虏的肉，割下来就丢到水罐里煮，煮熟了就用刀子挑出来吃。他们绝不肯一刀把俘虏杀死，而是就这样一刀一刀，让俘虏在极端疼痛中慢慢死去，仿佛对这种惨死的欣赏，会增加他们享受美食的快乐。泰山虽然知道自己将面临这种死法，但直到现在，他还没让自己沉湎在死亡的恐惧里，他的注意力仍集中在如何找到一线希望，逃脱出去，救自己的儿子，给仇敌以报复。

泰山一心一意在考虑如何逃脱，忽然，他灵敏的嗅觉嗅到了一种气味，是的，一点儿不错，那是他非常熟悉的一种气味！他高兴得几乎屏住了呼吸，心里什么都不再想，侧着耳朵细细地听。果然，他听到了一种动物爬行的声音，这声音就来自这间茅屋的后面。他赶忙噘起嘴唇，发出了一种声音。这个声音人类是听不到的，但他确信，茅屋外面的那个动物一定能够听得清清楚楚。泰山心里明白，被他驯服了的老朋友来了！泰山相信自己的嗅觉，自幼在丛林里经过千锤百炼的嗅觉，能像普通人在白天用眼睛看东西一样准确。

泰山发出声音之后，就听到有一只巨大的利爪在挖墙壁了。只一会儿工夫，已经挖穿了一个很大的洞，有一个硕大的、毛茸茸的头钻了进来，用粗糙而冰冷的鼻子，在泰山脸上乱嗅。

这就是泰山忠心的老友——猎豹。

那豹钻进来，轻轻走到躺在地上的泰山身旁，亲昵地嗅着他的全身，可惜他俩之间没有语言可以相通，不能清楚而充分地交流心意。泰山明白豹发出的呜呜哀鸣声中，包含着无限的焦急和

一会儿工夫,泰山忠心的老友——猎豹钻了进来。

深情，但是豹毕竟不会主动想出什么有效的办法。泰山思索了一会儿，向前滚动了一下，意思是想让豹看见，他是被捆绑着的，希望豹能帮他咬断绳索。那豹看看泰山，虽然它也懂得主人失去了自由，但它的智慧终究达不到阿库特的水平，它不能理解泰山的意思。尽管它对泰山忠心耿耿，可这种时候它却无能为力，只会舔着泰山的手腕和胳膊，想不到应该去咬断绳索。正在这时，忽然进来了一个送死的家伙。

这黑人进来之后，那豹低低地咆哮了一声，迅速地躲到黑暗的角落里去了。由于外面喧闹的声音很高，那家伙没听到豹的声音，也没看见豹，注意力只放在泰山身上，大模大样地走了进来。泰山抬眼一看，原来是个裸体的高大黑武士。他走到泰山身边，把手中的长矛直向泰山刺去。泰山被刺中，血流了出来，但他口中却发出了一种奇怪的声音。那黑人被弄糊涂了，他不懂这个白人对疼痛的反应怎么会是这么一种声音，他从来没听到过。还没等他回过神来，一头巨大的豹子从黑暗的角落里向这家伙直扑过来，那黑人毫无防备。豹扑到他跟前，伸出巨大的利爪，一下抓在他胸口上，爪尖马上刺进了肌肤。紧接着，豹张开血盆大口，一口咬住了他的喉咙。霎时间，这茅屋里充满了黑武士挣命的惨叫声，夹杂着豹子愤怒的咆哮声。然而，只一转眼的工夫，一切又都平息了下来。在这小茅屋里，只听到撕扯声和咀嚼声，泰山虽然不能转身去看，但他断定那家伙已被豹子吃了。

这一阵忽然而来的声音，惊动了茅屋外的人群。他们不知道发生了什么可怕的事，吓得一时都不敢出声了。过了好久，才又有了纷纷议论的声音。从议论声中可以听出，他们已经惊慌失措了。最后是酋长的声音,听不清他低低地传了一道什么命令,只听得许多杂沓的脚步声向茅屋奔来。豹突然听到了众多的人声,急忙从黑人的尸体上站了起来,仍旧从进来的洞口轻悄地出去了。

泰山听到豹子越过栅栏跳出去了,同时也听到茅屋外武士们的脚步声越来越近。泰山本来希望豹子能救他,并帮他赶走敌人,没想到它一听到众多人杂沓的脚步声,丢下泰山,自顾自逃走了。在这一瞬间,泰山有点儿恼怒,但转念一想,豹子是丛林中的猛兽,平日的生活环境造就了它简单的头脑,有时虽非常勇猛,但有突然来临的危险时,他也会出于本能保护自己,这是可以理解、无可厚非的。泰山进一步又想到,即使豹子拼着命来救自己,恐怕也是徒劳无益的。敌人有枪,只消几颗子弹,就足以要了豹子的命,到那时自己仍逃不脱一死。与其两个都死,不如只死一个,保存豹子的性命。这样一想,泰山心里倒也安然了。

这时黑武士已到了门口,但都吓得胆战心惊,没一个敢进来,只是站在门口探头往里看。屋里寂静无声,有两个高个子黑人左手举着火把,右手拿着长矛。在他们两人身后,簇拥着很多黑人,都用手推他们,想让这两个先进来。黑人都分明听到了刚才豹子粗重的咆哮声,夹杂着同伴临死的惨叫声,现在望着黑洞洞的茅屋里面,心吓得咚咚乱跳,里面越是寂静无声,他们越是害怕,总认为不知还有什么猛兽藏在屋子的黑暗角落里。

有一个黑人,探头向屋子里面窥视了一下,里面太黑,什么也看不清楚。于是,他把手里的火把向屋里一扔,火光照亮了屋里,一切都能看清了。只见那个被俘虏的白人依旧被捆着躺在地上，没有什么变化。可是在白人的身后，他们的那个同伴却是血肉模糊，被撕扯得不成人形了。

等他们看清了这个光景，马上吓得魂飞魄散。只看见死尸，没看见有什么猛兽，而被捆着的俘虏又绝不会干出这种事来，谁也说不清猛兽藏在哪里，一共有多少只，它们什么时候还会再跳出来咬人。这样一想，门口的人不由得都害怕起来，顾不得是否违抗酋长的命令，撒腿就往后跑。他们身后的人虽然什么也没看清楚，但是见前边的人跑，也盲目地跟着跑起来。一大群黑人就这样一窝蜂地跑了，泰山心里不禁暗暗好笑。

大约过了一小时，泰山听到外面吹起了笛声，激昂的歌声也从村子中央响起来。泰山知道这是他们土人的一种规矩，当人心涣散时，就用这种方法鼓励士气，这说明，他们还会再来的。

果然不出泰山所料，歌声一停，脚步声又来了，不过这次步伐似乎比上次整齐。领头的是两个白人，手里都拿着火把和枪。泰山抬眼一看，这两个白人中没有罗可夫。他深知罗可夫的本性，表面装得十分英雄，其实骨子里是个十足的懦夫，他听到刚才豹子的咆哮声和黑人的惨叫声，自己绝不敢前来，让别人去打头阵，有什么危险也轮不到他头上，这是不足为奇的。

黑武士看两个白人平安地进了屋，才大胆地跟了进来，一进到屋里，看到那血肉模糊、不成人形的尸体，都毛骨悚然，面面相觑。两个白人追问泰山，那黑武士是怎么死的，泰山只是摇摇头，微笑着不作回答。

最后，罗可夫也进来了。他一看火光照亮的尸体，立即吓得面色惨白，不敢再往死尸躺的地方多看一眼。他急急忙忙地向酋长说:"来!我们快把这恶魔处理了吧!免得留着他,再给你的村落带来灾害。"

酋长听了,就立刻下令把泰山抬出去绑在木柱上。黑武士们虽然听到了酋长的命令,却没有一个人敢上前去动手。酋长觉得这太丢自己的面子了,发起怒来。大家才硬着头皮,推出四个年轻力壮的黑武士,把泰山拖到屋外,看看周围没有别的动静,才又壮起几分胆来。几十个黑武士一拥而上,把泰山拖着拽着,拉到广场中间,七手八脚把他捆在了木柱上。

罗可夫看他们把泰山绑结实了,再不会有什么危险时,才踱走出来逞他的威风。他走到泰山跟前,向身边的武士要来一把长矛,拿在手里,两眼一眨不眨地把泰山盯了一阵,见泰山毫无惧色,就用力向泰山身上刺了一下。一股鲜红的血从泰山身上流下来,泰山依旧面不改色,不出一声,而且还带着微笑,直视着罗可夫。这下罗可夫可气炸了,他浑身乱抖,一边发狂地怒骂着脏话,一边握紧拳头,向泰山脸上乱打,抬起脚来向泰山腿上乱踢,就这样,他似乎还不解恨。

罗可夫累得气喘吁吁,泰山仍旧笑容满面。这一来,罗可夫可恼怒无比了,于是他不再用拳脚,而是从地上拾起长矛,对准泰山的胸口用力刺去。

酋长看罗可夫打泰山,开始还忍耐着,继而看罗可夫要一矛置泰山于死地了,他实在忍无可忍,跳过来一把拖开罗可夫,大声喊道:"住手!白人!登登舞还没开始,你要把一个俘虏的死尸扔给这次盛典吗?你要有胆量破坏我们这个难得的舞会和盛宴,扫我们大家的兴,休怪我不客气,到时候只好由你来顶替这个俘虏的位置了!"

罗可夫听酋长这一断喝,愣了一下,他也知道众怒难犯,况且,酋长既然在全村人面前这样说了,必然会说到做到的,自己若把命赔进去,岂不折了老本?想到这里,他只好忍气罢手。他稍稍后退了一点儿,仍站在离泰山不远的地方,嘴里不断地骂骂咧咧。他告诉泰山,等黑武士们把他身上的肉都割完之后,他将把泰山的心脏挖出来吃掉。他还故意夸张地说泰山的儿子将来会遇到可怕的命运,他明白地表示,他对泰山的报复还不止于此,更厉害的报复也将毫不例外地施于他的夫人——琴恩·克莱顿。

罗可夫咬牙切齿地说:"你以为你老婆会平安无事地待在伦敦吗?告诉你吧,可怜的傻瓜!她现在也同样在一个并不体面的人手里,而且远远不在伦敦那片安全地区之内。信不信由你,我若没有十足的把握,是不会这样肯定地对你说的。"

停了一会儿,罗可夫继续对泰山说:"现在,你就要死了!而且,对一个白人来说,是一种难以想象的可怕死法!就让我刚才说的关于你老婆未来命运的话,给你痛苦的死亡再增加一点儿作料吧,让你死得更多点儿滋味,让这种痛苦伴随着你到最后一刻,到结束你的狗命为止。"

这时,死亡之舞正式开始了。黑武士们围成一圈,边舞边跳,把罗可夫挤到圈外去了,使他再也不能靠近泰山,继续他那宣泄仇恨的辱骂。

火堆上闪耀着的火光,不时照亮那些跳动着的野蛮人,清楚地映照出他们脸上、身上涂抹得五彩斑斓的花纹。他们一边呼喊着,一边围着绑着受害人的行刑柱,不住地手舞足蹈,扭动着全身。

泰山这时不由得想起他从前营救得·阿诺时的情景。当年，他正是把得·阿诺从最后几分钟的危急中抢救出来的。可是，现在有谁来救自己？在这个世界上，还有谁能在这样的时刻，把他从死亡和苦难中解救出来？他一想到当舞蹈结束时，这些吃人的凶恶家伙就会一刀刀把他割碎，然后一块块吃掉，他不由得一阵阵恶心起来。但这时的泰山，却不像其他的普通人，他没有被极端的恐惧所折磨，因为在泰山过去的生活中，他无数次看到过野兽如何杀死猎物并吞吃其躯体，这在他来说，是司空见惯了的。现在他面对死亡，思绪反而飞腾起来，记忆的闸门打开了，幕幕往事，像电影画面一样在他脑际掠过：在很早以前，自己不是也曾经在那个大猿的圆形广场上，也是在登登舞的鼓声中，和一只大猿浴血奋战过吗？而且，后来自己长得更大的时候，不是也亲手杀死过大猿托白赖，随后又杀死了喀却克，因而赢得了整个猿族的至尊地位吗？

现在，那些近乎疯狂的黑武士跳舞的节奏越来越快了，而且也离他越来越近了，他们手中长矛的矛尖正在寻找他身上最容易扎进去的地方。他知道自己的身体正面临着一种危机，那就是先挨上第一枪，接着，就会有许多枪连续扎进来。这种事马上就要发生了，人猿泰山甚至想到了，那些即将扎来的、令他疼痛的枪刺，最终将结束他的生命。

然而就在这千钧一发的时刻，远处那充满迷雾的丛林里，传来了一声尖厉的吼叫。

有好一会儿，跳舞的人都吓愣了，呆呆地停在原地。就在这

近乎疯狂的黑武士跳舞的节奏越来越快。

个间歇中,从被紧紧绑着的泰山的嘴里,突然发出了一声作为回应的长啸。比起刚才丛林里那一声吼叫,泰山这一声更为怕人,更为高昂,而且还拖着一个长长的尾音。

黑人们听了这一声长啸,有几分钟都直愣愣地呆在那里不敢动,像木雕泥塑一般。后来,在罗可夫和酋长的催促下,黑人们才又跳起来,他们准备尽快结束舞蹈和晚宴的盛典。当他们把手里的长矛换成雪亮的小刀,就要对泰山裸露的肌肤进行切割时。忽然,从曾经囚禁泰山的那间小屋里,猛地蹿出了一头猎豹,豹的两眼发着令人心惊胆战的绿光。它咆哮着奔向泰山,紧紧守在主人身边,两眼杀气腾腾地瞪着黑人们,前爪向前伸着,腰身缓缓下伏,准备随时扑向任何一个敢于向前靠近的黑人。

这一瞬间,黑武士、酋长、罗可夫都被吓呆了,他们的眼睛都死死盯住那只露出獠牙、不断怒声咆哮的大猎豹,一时目瞪口呆,手足无措。

当所有人的注意力都集中在猎豹身上时,只有泰山一个人看见了,阿库特领着他的一群部下,正陆续从那间被挤塌了的小茅屋里,威风凛凛地冲出来……

## 九
## 殷勤掩盖的阴谋

在"金凯德"号船上,琴恩·克莱顿从她船舱的小窗口看到她的丈夫被罗可夫用小船送到一个小岛上去了,那个小岛是被丛林的绿荫覆盖着的。然后,"金凯德"号又开船,继续向前航行了。

有好几天的时间,琴恩除了能见到斯文·安德森以外,什么人也见不到。安德森就是"金凯德"号上那个脏兮兮的、令人讨厌的瑞典厨子。有好几次琴恩试探着想从他口中打听出放逐泰山的海岛的名字,可是,安德森的回答总是他用惯了的那几句莫名其妙的话:"哎!天要刮风啦!风越刮越大啦!"他的这句带瑞典口音、不明不白、答非所问的话,几乎使琴恩觉得,这似乎是他会说的唯一的人类语言,因此,琴恩也不再想从他那里问出什么来了。每次他送来那些不干不净的饭菜,琴恩看了都要作呕,尽管如此,琴恩仍是不忘记客气地向他道谢。

放逐泰山到丛林岛上以后的第三天,"金凯德"号来到了一处停泊地,这里是一条大河的入海口。船下锚停稳之后,罗可夫突然跑到琴恩的舱房里,装出一副很有礼貌的样子对琴恩说:"我们已经到达目的地了。你对这一带可能很熟悉,因为那个光屁股的野人,就是在这一带丛林里长大的,他曾经像个野人一样,跟他那帮野兽伙伴一起咆哮游荡。但是,我可是个有身份的人,不但出身白贵族血统,而且是在高尚的教养下长大的,可以说是个名副其实的有身份的男人。"罗可夫得意洋洋、忘乎所以地夸耀着自己,一边说,一边观察着琴恩的神色。见琴恩面无表情地听着,他又厚起脸皮接着说:"对您,亲爱的琴恩,我将献上我的一份爱情。这可是一个有文化的、举止优雅的人的爱情。对于这样一个人的爱情,我知道你一定会为失去它而下嫁一个可怜的人猿痛苦万分。我是爱你的,亲爱的琴恩!只要你说一个'好'字,你就再也不会感到痛苦了,就连你的孩子,也会毫无损伤地回到你的怀抱。"

罗可夫正滔滔不绝地说着这些恬不知耻的话,正好安德森给琴恩送饭来。他听到船舱里有人讲话,不由得停住了脚步,把长在细长脖子上的小脑袋一歪,眯着一双促在一起的小眼睛,佝偻着腰,站在门外偷听,很有兴趣地想听到什么秘密。

罗可夫讲完了那一大堆不知廉耻的话,看着琴恩的脸,静静地等待她回答。琴恩又惊讶又气愤,耸了耸肩说:"罗可夫先生!你今天这一席话,未免太唐突了吧?你这个人也有点自作聪明,难道你不想一想,我既然已是克莱顿爵士之妻,岂能仅仅因为听了你不杀我的诺言,为了苟全性命,就满足你的愿望而改嫁你!罗可夫先生!以前我还只知道你是个恶棍,今天我才领教了,原来你还是个只知有己、不知有人的浑蛋加流氓呢!"

罗可夫听了琴恩这段义正词严的话,在他那从不知羞耻为何物的脸上,居然也浮起了一层红晕,但他并不因此而死心,还想换用一种方法,于是他向琴恩面前逼近一步,低声喝道:"你这个人,不要嘴硬,不要敬酒不吃吃罚酒,你既有胆量骂我浑蛋,今天就让你尝尝浑蛋的厉害,我倒要看看你能逞强到什么程度。你不听我的话,我可以杀了你的爱子杰克,并且当着你的面,把他割成碎片,挖出他的心脏来给你看。到那时你才会知道,我罗可夫不是轻易能让人侮辱的,你可要好好掂掂轻重啊!"

琴恩听了罗可夫这一段恫吓的话,往离罗可夫稍远的地方走了一步,镇静而坚定地说:"你不必这样絮絮叨叨,你是说来吓我的也好,你真要这样办也好,都随你的便。只是,要我遂你的心意,改嫁给你,那是无论如何也不可能的。我的孩子现在还年幼,我不能断言他将来会怎么样。但是,我是他的母亲,有一点我可以断定,那就是:他将来长大成人了,他宁愿死,也决不会愿意他的母亲为了苟全性命而屈尊委身于一个流氓。我既爱我的儿子,我就不能让他抱恨终身。如果我真照你的话做了,那将让他到死也无法抬头做人!"

罗可夫原想,母子连心,用杰克来威胁琴恩,料定她只有屈从,哪知一点效果也没有,反而被琴恩抢白了一顿,这是他完全没有想到的。他原先的如意算盘是:把琴恩母子都掌握在自己手里,然后带他俩到欧洲去,就足可以扬眉吐气向人夸耀,爵士夫人都做了他的内室,他当然能够随心所欲地实现他蓄谋已久的报复计划了。哪知琴恩完全不像他想的那样,对泰山和杰克的感情坚定不移,她说话的声音虽然不高,但语气却是斩钉截铁,听得出来,丝毫没有商量的余地。罗可夫恼羞成怒,于是撕下伪装,不再装斯文,向琴恩逼近一步,脸上的肌肉抽搐着,像野兽一样,向琴恩直扑过去,用双手掐住她的脖子,想把她按到床上去。

正在这时候,舱门呀的一声开了。罗可夫一惊,不由得松了手,跳起来一看,进来的原来是那个瑞典厨子安德森。他走进舱房后,表情木然,似乎什么响动也没听见,一双小眼睛,带着愚蠢的神情,嘴巴半张着,似乎想说什么,又不像要说什么的样子,慢悠悠地走到舱角的小桌前,把琴恩的午餐摆好。

罗可夫怒目圆睁地喊道:"你这个时候来干什么?怎么一声不响就进来了?给我快滚出去!"

安德森闪着一双小蓝眼睛,脸上带着傻笑,看着罗可夫,嗫嚅着说:"要刮风了,风越刮越大了!"一边说着,一边漫无目的地把几个菜盘在桌上移过来移过去,磨磨蹭蹭,就是不走。

"你给我快点滚出去!再不走,我可要把你扔出去了!"罗可夫怒吼着,走过去想抓安德森。

安德森没有反应,还是傻笑着,他的一只手,却向挂在油围裙上的一把厨用佩刀摸去。

罗可夫看到了他这个动作,心里已有几分胆怯了,不想把事闹大,只好自己给自己找台阶下,于是转过身去对琴恩说:"我刚才跟你说的话,你好好想一想,我再给你点时间,最迟到明天早晨,必须给我一个圆满的答复。何去何从,你要认真考虑一下,你胆敢再像今天这样,我会把船上其他的人都遭上岸去,只留下你、杰克、鲍勒维奇和我。我希望你不要执迷不悟,不然,到我杀你儿子的时候,你再求饶,我也不会理你了!"

罗可夫上面这一段话,完全是用法语说的,他以为安德森是绝不会听懂的,所以根本没把这个瑞典厨子放在心上,说完,他就走出船舱去了。其实,罗可夫想错了。他走了之后,安德森回过头来,看着琴恩,他平日那副半疯半憨的神情此时竟一扫而光,露出了一种琴恩从未见过的机警,脸上带着胜利的微笑说:"他拿我当傻子,哼!他自己才是天字第一号的傻子!我是懂得法语的。"

琴恩吃惊地看着安德森,说:"他刚才说的话,你都听懂了吗?"

安德森笑着回答:"是的。"

琴恩继续问道:"那么说,你是听到了声音,特意来保护我的?"

安德森说:"是这样的。因为这么多天来,我一直在观察你,你是个好人,你对我很好,而罗可夫这个俄国恶棍,只把我当条狗看。夫人!我决心帮你,你等着,我会救你出去。非洲海岸这个地方,我来过好多次呢!"

琴恩说:"安德森先生!罗可夫是不会放过我的,你怎么救我呢?"

安德森这时没有正面回答琴恩的话,又恢复了呆头呆脑的样子说:"要刮风了,风越刮越大了!"说着,开门出去了,又回到左面他自己的船舱中去了。

琴恩虽然不敢相信那厨子能救她,可是她对安德森是心怀感激的,自己身陷仇人的魔掌中,居然有这么一个热心肠的人暗中站在自己一边,紧要关头能帮助自己,这已经是意外的幸运了。她自从上了"金凯德"号船之后,没有一天不在愁苦之中,今天听了安德森的一席话,总算有了一线希望。

在这一整天里,罗可夫没再来,安德森来送晚饭时,也没有说什么。琴恩想再问问他,他却又恢复了痴呆的样子,嘴里还是那两句话:"要刮风了!风越刮越大了!"

到了饭后,他来收拾餐具的时候,才低声对琴恩说:"夫人!今天晚上,请你不要脱衣服睡觉,而且准备好一条绒毯,等一会儿,我来领你出去。"

他说完就匆匆往外走,琴恩拉住他问道:"我的孩子呢?如果他不能和我一起走,我是决不走的。"

"你照我说的去做就是了,我会替你想得很周到的。别再多说什么,在这儿多说话是危险的,若被他们察觉了,咱们就都走不成了!"

琴恩等他走了之后,坐在床边,前前后后地琢磨这件事,总觉得半信半疑,心里很不踏实。安德森的话到底是真是假?这个平日呆头呆脑的人,今天忽然自告奋勇,究竟是真心救我们母子,还是有别的意图?假如真跟他走,会不会逃出虎穴又入狼窝?看这个瑞典人,平时装疯卖傻,今天早上忽然露出机警的真面目,听他说的话,看他的举动,不像跟罗可夫是一路人。早晨罗可夫逼自己时,自己也偷眼看见他的手在向刀子摸去,看来,他的侠肝义胆,倒像是真的,平日不露真面目,恐怕是有意的。这样一想,觉得还是跟他走好,无论如何,总比坐等罗可夫摆布要好得多,先逃下船去,再见机行事。不过,杰克如果不能离开"金凯德"号,自己是决计不走的。琴恩拿定了主意,心也定了下来,于是就和衣而卧,把绒毯也准备好,卷起来放在手边。等到入夜之后,全船都静悄悄的,似乎所有的人都入睡了,琴恩一直焦急不安地等待着。到了半夜,才听到舱面上有极轻的脚步声,向自己的舱房走过来，琴恩侧耳听着，有一阵，什么声音都没有，过了一会儿，才听到有人在拨自己的舱门。

琴恩连忙起身走到门口，迟疑了一下，轻轻拉开门闩，安德森很快地侧身进来，只见他披着一件大衣，手里抱着一捆东西，看起来像是床上的卧具。安德森举起一只手，把食指竖在嘴唇前，琴恩明白，这是告诉她不要出声。

安德森快步走到琴恩身边，把那一捆东西递给她说："抱上这个，这是你的孩子。你千万可别发出声音来！"

琴恩赶紧从安德森手里接过杰克，见孩子已静静地睡着了，就紧紧地把他抱在怀里，几乎失去的孩子又回到了自己身边，心里说不出的悲喜交集，忍不住两行热泪，从她那憔悴的面颊上流了下来，落在孩子的小脸上。

安德森低声地催促着说："赶快走吧！我们可不敢在这儿多耽搁！"

他把琴恩准备好的绒毯和自己的绒毯都卷起来，放到舱外，他就领着琴恩走上船舷，只见有一只小船，早已停泊在那里了。他叫琴恩先从软梯上下去，为了让她走得方便而安全，他把孩子接过来抱着，又回身把绒毯挟在腋下，也紧跟了下去。两个人都安然下到小船上之后，他把缆绳解开，叮嘱琴恩抱好孩子，坐在船头，自己荡起双桨，尽可能不出声音地划着小船，离开"金凯德"号，向着乌干壁河前进。看安德森迅捷而熟练地划行，似乎这一带水路他非常熟悉；他毫不迟疑，一直向前划去。大约半个小时之后，月光从云里透出来了，射在水面上，在船的左面，乌干壁河口已经遥遥在望了。安德森把桨横了一下，小船就进了河口。

琴恩抱好孩子坐在船头。

琴恩十分不解,安德森分明是瑞典人,他怎么会熟悉这里的路径呢?她不会想到,安德森是个有心人,他在白天早已谋划好了,托词去采购食品,到乌干壁河上游探察好了路径,而且用了一些礼品,和一个小村的酋长约定好,因此,现在他才如此胸有成竹地前进。

这时天上虽然有明亮的月光,但河两岸的丛莽都是些参天的老树,把河道遮得密密实实,所以周围是一团漆黑。有许多倒挂下来的树枝,裹着藤萝,低垂在河面上,习习的凉风,吹送着清爽的夜气,令人感到很舒适。但琴恩却无心欣赏这幽静的夜景,因为她已发现周围有许多可怕的东西:水面上的鳄鱼,被桨声和浪花惊动,缓缓地潜入河底;河马要胆大些,披着水草,时不时地探出头来窥探一下。丛林之中,远远能听见各种吼叫的声音:豹子和狮子的咆哮怒吼声,夹杂着许多不知名动物的狂叫声,让人心惊胆战。

琴恩把杰克紧紧抱在自己怀里,吓得全身瑟缩地蜷伏在船底。她知道已经进入无人的蛮荒地区了,前途未卜。但是,杰克毕竟在自己怀里,这一点总比在"金凯德"号上听任罗可夫摆布好,至于今后如何,她现在暂时不想,只管听天由命了。她此时最急切的愿望,就是仔细地看看孩子,这个离开自己多日的孩子,现在到底是什么样子了?不知罗可夫一伙虐待他了没有?她多次掀开绒毯,可都因光线太暗,看不清楚。凭着母亲天生的敏感,她总觉得杰克瘦了许多,她只有把他紧紧地搂在胸前。

大约到了下半夜三点钟的样子,安德森把小船划到岸边,借着月光,可以看见岸上有个空场,隐约望见空场再过去有个村子，村中有许多茅屋，屋外用栅栏围着。安德森在这里停了船，上岸之后，听村落里寂静无声，似乎人们都在梦中，喊了许久，村里才有人醒了，出来接应。这个村子，就是安德森白天来过的。这时岸上很黑，看不清村落里出来的人的脸，听他们说话的声音，似乎挺可怕。安德森扶起抱着孩子的琴恩上了岸，又把船缆拴好，拿了绒毯，领着琴恩，随来人往村里走。到了村子的大门外，有一个女人出来招呼，安德森问过之后，才知道她是酋长的妻子。她请他们去酋长的茅屋里去过夜，安德森估计琴恩会害怕，就婉言谢绝了，说自己喜欢睡在外面地上，那女人也不再勉强，便回自己的茅屋里去了。

安德森等酋长的妻子走了之后，才告诉琴恩他为什么不主张住在茅屋里，因为茅屋里虫蚁太多，反不如外面舒服。他边说边帮琴恩打开绒毯，请她睡下，自己也打开绒毯，在离琴恩远远的地方睡下。他可能由于白天太累了，一躺下就睡熟了。琴恩却从来没有住过这样的地方，加上不免有点提心吊胆，很久都辗转难眠。后来她实在太疲乏了，才搂着杰克迷迷糊糊地睡去了。

他们醒来时，天已经大亮了。

琴恩向四周看了看，见有一群土人正围着自己，有二十多个，而且都是男人，正在好奇地打量她和安德森。看他们的衣着打扮，真是奇形怪状。琴恩从他们的眼神中，虽然能看出没有恶意，不会加害他们母子，可是面前站着这么一群野人，琴恩心里还是有点害怕。

其中有一个土人，拿着一个装着羊奶的葫芦，递给琴恩。琴恩看了看，那葫芦被煤烟熏得乌黑，葫芦嘴上还残留着已干的奶汁，看着实在肮脏。她虽然不想用手去接，但明白对方是一番好意，不好谢绝的，就笑着点了点头，勉为其难地去接那个葫芦。土人没有见过琴恩这种有教养的贵族妇女，又见她彬彬有礼，笑容可掬，自然而然地对她产生了一种敬意。刚才递葫芦的那个土人，走到琴恩身边，用双手捧着葫芦，意思是让琴恩凑上嘴去喝。当他一走近，琴恩马上闻到了他身上特有的一股膻气，几乎忍不住要呕吐。安德森已经看出来了，忙走过来解围，他自己接过葫芦喝了一口，然后交还给那土人，并且拿出一串蓝色的假珠子，送给他作为礼物，以示谢意。

这时太阳已经渐渐升高了，孩子却还睡得很香甜。琴恩不愿吵醒他，所以不敢揭开绒毯来看。后来，酋长也走了过来，看见他的部下围着琴恩，就命令他们走开，他自己站在那里，和安德森闲谈。琴恩几次想揭开绒毯，看看离开自己已经很久了的杰克，但她怕强烈的阳光刺着孩子的眼睛，所以还是忍耐着。这时，琴恩才有暇注意安德森和酋长的谈话，仔细一听，才知道安德森原来也会讲土人的话。

现在琴恩有了闲暇时间，她开始琢磨安德森这个人了。安德森到底是怎样一个人呢？过去在船上的时候，她以为他若不是个傻子，也是个精神病人。可是这一天一夜之间，才发现他不但懂英语和法语，居然还会说非洲土话。这在很大的程度上改变了她对他的看法，从前，她无法断定他是不是罗可夫一伙的，但总觉得他靠不住，起码，是个没有多大用处的人。如今从这二十四小时的经历看来，他不但不疯不傻，而且不像个坏人。只是，到底是萍水相逢，他这次肯冒着风险救自己，究竟是不是出于古道热肠、见义勇为，现在似乎还不能下断语。不知他过去是做什么的，从他外表看，又不像个上流社会的人。他救自己是不是还有别的意图，现在还没暴露出来呢？

她正在做各种猜测，杰克醒了。她久已盼望要看看孩子，这时她感到毯子里微微动了，她迫不及待地揭开绒毯来看，只见杰克舞动着小手小脚，嘴里还不停地发出咿咿呀呀的声音，看见琴恩，似乎认得，脸上露出了一个灿烂的笑容，此时琴恩心里的快乐，真不是言语所能形容的。

这时，恰巧安德森转过头来，看见琴恩站在那里，双手把孩子举在头顶，双眼中闪动着无限喜悦的光芒，在仔仔细细观察着孩子的整个小身躯。

他忽然听到琴恩轻轻地喊了一声，只见她双腿一软，颓然地跌倒在地，晕过去了。

# 十
## 那个瑞典人

现在暂且放下琴恩这边的事,再来说说泰山。黑武士重重叠叠地包围着泰山,忽然从茅屋里蹿出一只猛兽来,开始他们不免一惊,定神一看,原来是一只猎豹。如果是一个人或者少数人遇到一只豹,他们会逃命的,现在仗着人多势众,所以并不怎么害怕,认为只有这一只豹,如果四周围起来,用长矛刺他,他再凶猛,毕竟寡不敌众,不怕制服不了他。罗可夫此时也慌忙地催着酋长,叫他给部下下命令,赶快结束这次晚会盛宴。酋长刚要下命令,忽然注意到泰山的眼睛正凝视着刚才蹿出豹来的那间茅屋,仿佛他又看见茅屋里有什么东西。酋长也顺着泰山的目光看去,立刻吓得大叫一声,拔腿就向村门处逃去。他的部下看酋长吓成这样,也掉过头去一看,这一下可炸了窝,无一例外地都怪叫着,向四处乱逃窜。原来从茅屋里冲出一群毛茸茸的巨大的大猿,这就是阿库特和他的部族。通过月光和跳动着的火光望去,这群大猿就显得更可怕。

泰山见黑人们都四散奔逃,于是又昂起头来,长啸了一声,大猿和豹听到了这一声命令,都咆哮着追赶黑人去了。有几个胆大一些的黑武士,还敢回身抵抗一阵,可是他们已经吓得六神无主了,哪里敌得过锐气正盛的豹子和大猿?才交手没有一会儿,他们都被豹子和大猿夺了性命。

还有些没跑脱的黑武士,被猿和豹逮住,立时撕了个粉碎。泰山见刚才围得里三层外三层的黑武士,现在溃不成军,逃的逃了,死的死了,一个都没剩下,于是又用他所特有的口令,把大猿和豹叫了回来,希望他们能解救自己。谁知,过了好一阵他才发现,大猿原来不会解绳索替他松绑!就连最聪明的阿库特,也不明白该怎么做,其他的大猿和豹就更不用说了。本来凭它们的力气,咬断绳索并不难,只是过去没遇到过这种情况,没有经过训练,也难怪它们束手无策。泰山见现状已经如此,只好由他自己来想下一步该怎么办了。如果老这样绑在柱子上,存在着许多危险:首先,难保天亮之后黑武士们不会回来;其次,敌人中还有罗可夫等几个白人,说不定他们会爬上树去,居高临下地用来复枪射击,果真发生这种情况,自己和猿、豹的性命都难保住;即使这两种危险都不发生,自己动不了,饿也会饿死呀!

至于猎豹,在善解人意方面更不如大猿,但是泰山完全明白猎豹对他的忠心。猎豹战胜了黑人之后,显得非常高兴,围着刑柱绕圈,还不断发出低低的呼噜声,似乎向泰山诉说,前一次它不是逃跑,而是叫大猿来一同救主人。泰山懂得猎豹的意思,觉得自己能把猎豹训练到这种程度,对一头野生的猛兽来说,也实在算不容易了。泰山向他所有的部下扫视了一遍,发现只有莫干壁没有来,不免有点担心起来,深恐大猿和豹子趁自己不在的时候,把这个黑人给吃了,他问了问阿库特,阿库特也说不上所以然来,只抬起前爪,指指他们来时的道路。一夜就这样过去了,泰山仍被绑在木柱上,没有人能把他解下来。天色渐渐发亮了,泰山望望栅栏外面,只见丛林中人影幢幢,仿佛有一群人在那儿来来往往,仔细一看,不好!原来黑人正在往回走。果然,天亮之后,黑人又恢复了勇气,他们逃出去之后,聚在一起议论过一番,大家都觉得自己太怯懦了,被几只野兽吓昏了头,什么都没想,只顾逃命,如果大家同心协力,有长矛和毒箭,不见得不能消灭那群野兽,为什么撇下自己的村落只顾逃跑呢?于是黑武士们在酋长的领导之下,商量了一阵,决定打回村寨去。计议好之后,大家分头准备,把队伍聚合在一起,扛着长矛和毒箭,为了鼓舞士气还跳着舞着,拥出森林,向村寨奔来。

　　泰山知道黑人这次回来,来者不善,一定会狠狠报复的。假如他们一次冲锋不能成功,也必定会两次三次地冲上来,他们夜里受了挫折,这次是一定会奋战到底的。自己被绑着,自然无法抵抗,大猿和豹子虽然勇猛,但敌人有武器,又人多势众,恐怕难以取胜。泰山是个勇敢的人,不会轻易认输,就是在这种时候,他也并不气馁,只是在思考该如何反抗。泰山趁黑人们还没到达村边的时候,又昂起头来,向天长啸了一声,声音非常凄厉。黑人经过昨夜的一吓,毕竟是胆怯的,他们听到这声长啸,不知道又要发生什么事,像惊弓之鸟一样,又四散逃去。大约过了半小时之后,泰山听见林中又有了叫喊声,他知道这一定是黑人重整旗鼓,又向村里杀来了。

　　这一次他们几乎冲到了村口,但是豹子和大猿马上扑了上去。那些黑人见野兽来势凶猛,又被吓退到丛林里去了。

　　然而黑武士们并没死心,他们在丛林里乱吼着,跳着舞,重新给自己打气。泰山估计他们这次一定会拼命扑来了,也许白人也在队伍中激励他们,看那架势,非要做一次最后决战不可了。泰山看看自己,还是被结结实实地绑着,再看看身边这群部下,他知道他们对自己是忠心的,也都是勇敢的,泰山此时并不怨他们愚钝,深知他们也会做一次最后的决战,即使为保护泰山而死,他们也决不会后退。

黑武士已经准备好进行最后一次总攻了,有几个胆大的已经进到栅栏里的广场中了,招呼着后面的人进来,后面的人只停顿了一小会儿,就全体都蜂拥而来。

泰山此时把心一横,知道没有再活下去的希望了,只是想到自己唯一的儿子和爱妻琴恩,心里十分难过。那些黑人刚跑到距离刑柱还有一半路的地方,却停住了,因为他们忽然看到靠近泰山身边的一个大猿,带着莫名其妙的表情,做了一个怪动作,并且呆呆地看着后面的茅屋。这时泰山也发觉了,顺着他的目光看去,不觉大喜过望,原来从茅屋中走出来的,正是他最最盼望的莫干壁!

莫干壁似乎从很远的地方奔来,跑得气喘吁吁。他急急地在人群中寻找泰山,见他被绑在柱子上,一个箭步跳过来,拔出佩刀,飞快地替泰山割断了绳索。那些黑武士见此情景,都呆立在原地不敢动了。泰山离开木柱,活动活动被绑麻了的手脚,从躺在地上被杀了的黑人身边,拾起两件合手的武器准备迎战。泰山拿着长矛和木棍,同莫干壁一起驱赶着他们的大猿和豹,一路向黑人杀将过去。这一场血战,真是杀得痛快。虽然两边的人数众寡悬殊,但是泰山和莫干壁指挥着豹子和大猿,加上他们两个人也是以拼命的架势,奋勇战斗,当然会所向披靡。黑武士们被打得抱头鼠窜,互相践踏,死尸遍地,侥幸捡得性命的,也早逃得无影无踪了。

有一个黑武士跑得慢了一步,被泰山一把捉住。泰山此时并不想杀他,只想从他口中知道一件事。因为在混战中泰山没有看见罗可夫,所以把他捉住,告诉他只要说出罗可夫在哪里,马上就放了他。那黑人一听,战战兢兢,只求能得一条活命,于是把他所知道的事,毫无保留地告诉了泰山。

原来,罗可夫上半夜已经被那群野兽吓破了胆,早早地逃出村外。早晨酋长去邀请他们带着火枪一同打回村去,哪知罗可夫吓得面如死灰,要了命也不肯回去,其他的白人见罗可夫如此,谁还肯舍命向前?酋长见他们这样无用,也就不再勉强他们,只让罗可夫带着他的白人到河边去了。罗可夫到了那里,抢了几艘土人停泊在河边的独木船,押着从卡维尔村劫来的几个土人,匆匆向上游划去了。泰山摸清了这些确切情况,就和莫干壁带着大猿和豹子,迅速向上游追去。

泰山和他的一群部下,急匆匆在蛮荒中找了一天,也没找见罗可夫的影子。这时泰山清点自己的队伍,少了三个队员,这三个都是阿库特族的大猿,恐怕是在村里混战时被杀死了。

现在泰山的全部队伍,算上阿库特,还有五头大猿,此外就是一头豹子、莫干壁和泰山自己。

蛮荒里岔路很多,泰山估计是走错了路,于是转回头再走,一路上问着找,还是毫无结果,只打听到在罗可夫的前面,曾经有三个白人打这里经过,那是一个男人、一个女人和一个小孩,但不知他们到哪里去了。泰山误以为那一男一女和自己没有关系，只有那个白种小孩，一定是自己踏破铁鞋要寻找的杰克。泰山心里琢磨，这三个白人从这里经过，但又不知去向了，是不是被罗可夫追赶着才逃走的呢？果真是这样，自己只要追到罗可夫，杰克自然就可以找回来了。

泰山思忖定了之后，带着他的队伍，重新又折回罗可夫失踪的地方，仔细从多方面侦查，断定罗可夫一行改变了方向，弃舟登岸，从陆路上向北走去了。至于杰克和那一男一女的行踪，究竟走的是水路还是陆路，却一点儿线索也没找到。

泰山努力思索着解决问题的办法，他知道黑人都是胆怯的，如果想问出罗可夫和其他三个人的行踪，自己身边带着这群怪吓人的大猿和豹子，谁敢跟自己多说呢？他想了想，于是让他的部下跟自己拉开较大的距离，慢慢地跟在后面，自己跳到树上，先走一步。

这一天，泰山正匆匆往前赶路，忽然看见道路旁的大树上，隐藏着一个黑人，手里举着长矛，对准躺在树下一个受伤的白人，正要投下去。泰山远远看到那受伤的白人，似乎有点儿面熟，好像在哪里见过的。再仔细看看那白人的脸，他有一双促在一起的小眼睛，面貌很丑陋，留着金黄色的长须，泰山一想，这不就是罗可夫"金凯德"号船上那个瑞典厨子吗？可是，和罗可夫一同到蛮人村中的白人里却没有他。他既然没和罗可夫一路走，那么，罗可夫说过的，琴恩和孩子已落入另一个人的手里，一路上村落里的蛮人也说，在罗可夫之前，有一个白种男人和一个白种女人，抱着一个孩子走过去，这些话就都是真的了。现在看来，那个

黑人举着长矛,对准一个受伤的白人。

所谓的白种男人,一定就是这个安德森,那么,那个白种女人一定就是琴恩无疑了。

泰山想到这里,脸色变得非常难看,他看着那面貌丑恶的瑞典人,越看气越往上撞。这时,横在泰山额角上的那块伤疤,又变成了紫红色,这疤痕还是在若干年之前,他和脱克争夺喀却克猿族王位时,决斗所留下的痕迹。这个疤痕,多年来,每逢泰山发怒时就会变色。他想,琴恩既然落在这个人手里,和他同走,路上一定受了他的凌辱,既然今天冤家路窄,让自己碰见了,就应该由自己来收拾掉这个人。于是没等树上的黑人投出长矛,泰山就以极快的速度纵身上树,轻轻跳到黑人背后,打掉了他手里的长矛,黑人马上拔出佩刀,掉转身来对付突然出现的新敌人。因为在树上施展拳脚不方便,泰山就跳下树来,那黑人也跟着跳了下来。只一眨眼工夫,一个半裸的白人和一个半裸的黑人在树下扭打成了一团。起初,各人还都用土人常用的武器厮打,后来越打越厉害了,双方都顾不上武器,于是就更原始起来,用手和牙齿互相抓着、咬着。

躺在矮树丛中的安德森从半昏迷中醒了过来,凝视了一会儿,弄不懂怎么会有一个白人和一个黑人打起来了?这白人是谁?在他们扭打中,动作都极快,很不容易辨认,他努力睁大了眼睛,看了好一阵,才认出那白人就是被罗可夫囚禁在"金凯德"号上的英国贵族。

安德森以前在"金凯德"号船上时,对于这个英国贵族是什么人,也和其他水手一样,一点儿都不知道。后来他救了琴恩,在乌干壁河上听琴恩坐在小船里把前前后后都告诉了他之后,他才明白。现在安德森受了伤躺在树下,又见到了这位英国贵族,心里又惊又喜,满以为自己这下有救了。

打了好一阵,泰山原不想杀这个黑人,所以没有真下狠手,见黑人总不败退,白耽搁自己工夫,才恼怒起来,一下子结果了他的性命。接着,泰山站起身来,一只脚踏在黑人被扭断的脖子上,照例昂头长啸了一声。

安德森听了这声从未听过的长啸,不禁惊骇起来。泰山走到他跟前,低下头来,满面怒容,眼露凶光,脸色严峻地冷冷地问道:"我的妻子在哪里?我的儿子在哪里?"

安德森刚想开口回答,才一用力,就引起了一阵很厉害的咳嗽。原来他胸口上中了一支箭,一经咳嗽,鲜血就像泉水一样从他的口鼻中涌了出来。

泰山静静地站着,等他回答。他脸色非常冷峻,远远望去,几乎像一座青铜雕像。泰山此时心中充满仇恨,他是在想,等这个瑞典人招出口供之后,立刻杀掉他。

等了好久,安德森的咳嗽好不容易停止了,想要说话,但是他的气息十分微弱。于是泰山俯下身去,附在他耳边问道:"我的妻子和孩子,他们现在在哪儿?"

安德森无力地抬起手来,向北指了指,气喘吁吁地说:"被那个俄国人抢去了。"

泰山紧紧追问:"那你怎么会在这里?你为什么没和罗可夫在一起?"

"罗可夫要杀我们!他要杀我们!本来有些土人和我们一起走,是护送我们的。罗可夫领着人追杀上来,土人都逃散了,我们两人最后被他追上了。我被这支箭射中了,他把我扔在这儿喂狼,这真比杀了我还要残酷!罗可夫抢去了你的妻子和孩子。"安德森边喘息边回答着,越到后来声音越低,末了几句,泰山几乎很难听清楚了。

"你是怎样对付我妻子和孩子的?你预备带他们到哪里去?"泰山想趁安德森还没死,把事情全问明白,然后杀了他,于是凑上前去,恶狠狠地问道:"这一路上,你是怎样欺辱我的妻子、虐待我的孩子的?快说!不然,我立刻杀了你!我方才怎样收拾土人,你是看见了的,我也照样能把你撕得粉碎!"

安德森听了,吓了一大跳,睁大了眼睛恐怖地说:"你说什么?你说我欺辱和虐待了他们?真是天大冤枉!我从那俄国恶棍手里救出了他们。因为你的夫人在'金凯德'船上一直对我很好,有时候我听到被罗可夫藏在另一个舱里的孩子不断啼哭,我心里也觉不忍,我家里也有妻子和孩子,我是个基督徒,实在不忍心看你夫人和孩子被分开囚禁,还不知以后罗可夫会怎么处置他们,我冒着生命危险救了他们。你看我胸口上的箭还不明白吗?我若不是背叛了罗可夫,他杀我做什么?"安德森气喘吁吁地说着,同时还用手指着自己的胸口。

泰山看他脸上的表情非常真诚,不像说谎的样子,又看他身受重伤,死神已经离他不远了,到了这步田地,他有什么必要说谎?这样一想,泰山完全相信他所说的是实情了,觉得自己刚才对他的态度和语言,都太对不起他了。泰山立刻用非常和蔼的脸色,带着十分抱歉的神情,屈下一条腿,跪在安德森身旁,说:"我真对不起你!我只以为你和罗可夫在一起,也一定不是好人,现在才知道是错怪了你,我很惭愧自己刚才的鲁莽,请你原谅我!我看你现在的伤势很重,最好找一个比较安静的地方,想法治疗一下,走!让我扶着你走吧!"

安德森努力作了个笑容,摇摇头说:"你还是赶快去找你的妻子和孩子吧!我已经离死不远了,即使你费了劲,恐怕也救不活我,只是……我不愿意等狼来吃了我,你若可怜我,不如痛快地把我弄死,免得我活受罪。"

泰山听了,微微地摇了摇头。在几分钟之前,他原想杀死这个瑞典家伙的,现在听了他一番诉说,却无论如何下不了手了,他冒险救过自己的妻子和孩子,是有恩于自己的,怎么能杀他呢?泰山把安德森扶起来,让他的头枕在自己的臂弯里,以便使他躺得舒服些。

接着,安德森又忍不住大咳了一阵,鲜血从他的口鼻中喷射出来。咳声一止,血也止住了,只见他两眼紧闭,泰山凝视着他,以为他死了。忽然,安德森又睁开眼睛,看了一下泰山,用微弱而颤抖的声音,喃喃地说:"天要——刮风——了,风——越刮——越——大——了!"

他说完了这句断断续续的话,终于停止了呼吸。

## 十一
## 坦布萨

泰山试试安德森的呼吸,再听听他的心跳,确信他已死了,于是取下自己身上的佩刀,挖了一个浅浅的土坑,安葬了安德森的遗体。泰山觉得这个人外貌虽然丑陋,可是心地非常善良,是个讲义气的侠肝义胆的好人,为了救他的妻儿,冒了各种风险,置生死于不顾,最后竟至牺牲了自己的生命,泰山怎么能不带着感激的心情,好好地安葬他呢?

泰山把安德森埋葬好之后,立刻去追赶罗可夫。现在他已能确定,那个在前面走过的白种女人一定是琴恩了,而且也能确定琴恩又落入了罗可夫之手。他心急如火地要救琴恩和杰克,于是加快了速度,拼命向前赶。谁知,这一条路竟是那么难走,丛林中的小道错综复杂,有许多交叉的十字路口。来往的人又多,罗可夫的足迹完全被土人的足迹覆盖了,无论泰山怎样运用自己特有的嗅觉和视觉,也没法辨认出来。

现在泰山又陷入了困惑之中,一时不知道该怎么做,最后他用异于常人的嗅觉从空气中嗅出,他要追逐的人是从右边的一条道路走的。但是一到夜里,由于走动的野兽多了,气味又模糊起来。他知道他率领的那群部下——人猿和猎豹——一定会寻着他的足迹，在后面跟上来的。但他深恐他们迷失道路，于是在经过的地方，都选一些大树或藤萝，用自己的身体在上面多蹭几下，好让人猿和豹子容易嗅出，准确地找到自己的去处。

没有料到天黑之后，竟下起了倾盆大雨，泰山没有办法，只好停了下来，找一株大树歇宿过夜。天亮的时候，雨还没有停，随后又大一阵小一阵地下了一个星期。天总是阴沉沉的，地面泥泞不堪，连路上残留的一些足迹，也被狂风暴雨冲洗得干干净净，弄得泰山束手无策。

在这一段时间里，泰山不但没再遇见什么土人，就连自己的那支队伍——人猿、猎豹和莫干壁——也都没见跟踪而来，他估计这支队伍是受了狂风暴雨的影响而迷失了方向。泰山现在所走的这条路对他完全是陌生的，还有一点是最困难的，就是这些天一直是阴天，白天没有太阳，晚上没有月亮和星星，泰山在丛林中几乎没法辨别方向。

直到第七天的下午，太阳才从重重的云层里露出脸来，泰山心里十分焦急，这是他有生以来第一次在丛林里迷路。他知道琴恩和杰克就在离自己不远的地方，而且又落入了罗可夫的魔掌，他急于去救他们，可是，脚下又不知该从哪儿走。而且在这长长的七天之内，罗可夫会不会对琴恩和杰克下毒手，他们到底是否还活着，这都很难说。泰山知道罗可夫的报复心是很重的，琴恩逃脱过一次了，这次又被他捉住，肯定凶多吉少。罗可夫当然也会料到泰山在后面紧紧追赶，那么他更会趁琴恩在自己手中的时候，想尽办法凌辱她，最后对大人和孩子都下毒手。

现在阳光虽已把道路照得很亮了，泰山还是难以确定自己该往哪里走。他知道罗可夫放弃了水路,从陆路上追赶安德森,但是,目前他到底是向内陆去了呢,还是又返回了乌干壁河流域?这一点是很难推断的。泰山记得离开河道时,曾经注意看了看乌干壁河,这里河道非常狭窄,河水也浅,独木舟从这里走是很困难的。那么,罗可夫既然不可能走河道,他从陆路上又可能往哪里走呢?从安德森离开琴恩和孩子的地方算起来,罗可夫有可能往桑给巴尔方向去,不过,那条路极危险,像罗可夫那样一个懦夫估计是没有勇气走那条路的。

泰山又转念一想,也许罗可夫害怕自己率领猿、豹追赶,有可能冒着危险走那条路。泰山想来想去,最后打定了主意,向东北方向追去,一直往德属东非洲走,在路上说不定会遇见一些土人,或者可以打听出罗可夫的踪迹来。

第二天,在路上果然见到了一个村落。泰山进去看了看,那里的土人不知何故,一见了他,都像见了什么魔怪一样,拼命四散奔逃,转眼之间,跑得一个也不剩了。泰山非常失望,到村里各个隐蔽处又搜寻了一番,最后果然被他找到一个年轻的武士。这黑人见了泰山,也吓得不知所措,不敢抵抗,连忙扔下武器,躺在地上,双手捂着脸,不敢看泰山,吓得全身发抖,嘴里拼命地乱嚷嚷。

泰山再三用和蔼平静的口气安慰他,消除他的恐惧,然后询问他,为什么见了自己会这样害怕?颇费了一番口舌之后,他才从这个黑人口中得知,前几天有一队白人从他们村外经过,其中有一个人告诉他们说:后面有一个白种恶魔正在向这边追赶过来,如果想保全自己及全村人的性命,应该设法防范和堵截。正因为如此,刚才那些黑人一见泰山,就想起了那个白人告诉过他们的白种恶魔,所以他们认定泰山一定就是那个恶魔,才会吓得没命地逃跑。这个黑人还说:前几天过去的白人还告诉过他们,在白种恶魔的后面,还跟着一队猿和豹,这些东西也是恶魔幻化出来的,都听那个白色恶魔指挥,必须小心防范。

泰山一听,马上明白这是罗可夫干的,他故意制造出这些骇人的谣言来,好让土人跟他捣乱,耽搁些时间,以便他逃脱。那土人渐渐觉得泰山不那么可怕了,才又告诉他说,那个白人还出了巨额赏金,谁若能杀了白种恶魔,就可以得到重赏。其实村里的人都想得这笔赏金,只是一见了泰山,都害怕起来,觉得还是性命比钱要紧,所以都赶快逃命了,哪里还敢动手杀泰山呢?

泰山的样子非常和善,没有一点儿要伤害他们的意思,这使得黑人最终完全放下心来,答应把泰山带回他们村去。一路上还招呼逃跑了的同伴回来,告诉他们:"这个白人不是恶魔,不会伤害我们,只要我们老老实实回答他的问话就行了。"

这些黑人听了半信半疑,都犹犹豫豫地回到村里来,他们没法完全忘掉罗可夫的话,眼睛总是盯着泰山看,仿佛怕他忽然变起脸来。

最后,酋长也回到村里来了。泰山很想从他嘴里打听出罗可夫的行踪,他不肯轻易放过这次难得的机会。酋长是个矮胖子,面貌丑陋而且狰狞,一双手臂特别长,像人猿的前肢。从他的外表看,泰山总觉得他是个诡计多端的人。

他们这个部落,原是吃人的野蛮部落,他们本想把泰山杀了,一来可以得赏金,二来可以饱餐一顿。可是,罗可夫的白种恶魔如何如何可怕的话,在他们心里先入为主了,他们对泰山总有点害怕,谁也不敢先下手。泰山并不知道,酋长安排了一部分人埋伏在丛林后面,只等酋长一声令下,就向泰山发起攻击。他们酋长的名字叫甘互赞。

泰山又向最初遇见的那个黑人问了一些问题,但他对这个黑人所答的话并不完全相信,边听边辨别,哪些可能是真,哪些可能是假。总之,他对酋长甘互赞和他手下这帮人,始终是存着戒心的。他见那年轻黑人讲起罗可夫的时候,总是露出很害怕的神情,据他说罗可夫是向远远的东海岸走去的。他还说,罗可夫所带的脚夫想逃跑的很多,在他们这个村里的时候,就有五个人要逃。可事情败露了,被罗可夫发觉,当时就宣布处决,把那五个人在树上吊死了。这样一来,他手下的那些人没有一个不怕他的,但是敢怒不敢言,只能违心地跟着他走。甘互赞也说,这种状况不可能持续多久,用不了多长时间,估计他们中间一定会发生叛变,说不定哪天,他雇用的脚夫、厨子、抬枪夫会约好了一齐逃跑,把他一个人丢在荒无人烟的丛林里,让这个狡猾的白人尝尝被遗弃在危险处境里的滋味。甘互赞对琴恩和杰克的事,始终一个字也没说,泰山也非常机警,善于见机行事,婉转地拿话试探,这酋长却十分狡猾,关于这群白人中间还有妇女和小孩的事,一个字也没吐露。

泰山向酋长要点吃的东西,他迟疑了一阵,才命令部下预备食物。吃饭的时候,泰山又向另外的黑人打听消息,大家都因为酋长甘互赞就坐在旁边,谁也不敢多嘴。可是泰山从他们脸上的神色可以看出,他们一定是知道的,只是不敢说出来罢了。泰山急于打听罗可夫的行踪，以便救琴恩和杰克，于是他准备在这儿过夜，想慢慢从他们口中套出一些线索来。

泰山向酋长正式提出，要在他们村落里住上一夜，这次酋长却很爽快地就答应了，一点儿也没有迟疑的样子，反而显得特别殷勤，仿佛他素来就非常好客。酋长特意选了一处村子里最考究的茅屋，安顿泰山住。这间茅屋原是酋长和他大老婆住的，他现在要搬到小老婆屋里去住，好把房子让给泰山。泰山心里暗暗思忖，为什么刚才自己要食物时，酋长迟迟疑疑，自己要借宿，他反而表现了特别的热情？是的，他想起了那个年轻黑人在村外告诉他的话，罗可夫出了一笔巨大的赏金，要他们杀死泰山！

泰山还没吃完，酋长就不断催促他，请他早一点到茅屋里去安歇。泰山吃完饭之后，已经到了睡觉的时间，尽管确实疲倦了，泰山还是有意延迟着不走。若论酋长的内心，他巴不得泰山早一点睡熟，他们好早一点结果他的性命。泰山之所以有意拖延，也有他的目的，他还想和那个年轻黑人单独谈谈，以便打听点真实消息，不过，这件事一定得等到熄了火以后才能着手做。泰山对酋长的多次敦促，实在是盛情难却，他只好推托说："我愿意和几个年轻武士睡在一起，如果为了我，请酋长的大夫人腾出房子，让她到外边去受冻，我实在心里不安。"

酋长的大老婆听了这话，带着感激的神情，露出牙齿笑了。酋长也赞同泰山的意见，因为他觉得，这样安排，杀泰山更方便，他可以命令和泰山同住的部下杀死他。于是他便叫部下领着泰山，到靠近村门的一间茅屋里去。那晚，恰巧村里有人从外面游猎回来，村中要举行舞会表示欢迎和庆祝。这样，茅屋里就只剩了泰山一个人，那群年轻武士，都和甘互赞一同参加舞会去了。

酋长甘互赞等泰山进屋之后，就立刻挑选了几个年轻有力的武士，暗中叮咛他们今夜杀死那个白种恶魔。

武士们听了这个命令，都吓得起了一身鸡皮疙瘩，一想到要行刺这样一个勇猛而又健壮的白人，他们都觉得自己不敢下手。可是，酋长的命令又不能违抗，否则会被冠以不遵命令、不听指挥的罪名，那可是要受严厉惩罚的。哪知甘互赞正在秘密地向他的部下传达着他的杀人阴谋时，他的话全被他大老婆偷听到了。她因为泰山不肯住她的茅屋，怕她搬出去受冻，心里非常感激泰山。她估计到丈夫殷勤留客一定有什么不怀好意的事，她想要探知个究竟，于是就装作到火边去添柴，留心偷听他们说些什么。

泰山进了茅屋，由于实在疲乏，一躺下就沉沉睡着了，外面的喧闹声他竟一点儿也没听见。迷迷糊糊中他被近处的一种什么声音惊醒了。他睁开惺忪的睡眼，向屋内仔细地环视了一遍，屋子中间那堆火已经快要熄灭了，借着微弱的火光，看不清有什么东西。然而他敏锐的听觉告诉他，的确有什么东西向他这里爬过来了。

他侧耳仔细地听着，屋子外面，黑人们还在兴高采烈地欢歌狂舞着，那喧闹声一阵阵传进来，看来，进屋的绝不是那些跳舞的人，但这种时候又有谁会向他这里走来呢？来干什么呢？泰山不由得警惕起来。过了一会儿，那声音已经到了泰山的身边，泰山一下子跳起来，举起长矛，厉声问道："来的是什么人？怎么敢像偷袭的野兽一样，在黑暗里走近人猿泰山的身边？"

人猿泰山·猿朋豹友　　115

黑暗中有个老妇人的声音传来:"请别出声音!我叫坦布萨,是酋长的老妻,先生刚才不是不愿占我的居室,不使我在外面露宿受冻的吗?"

泰山问:"你有什么事要找人猿泰山?"

坦布萨说:"先生这样对待我这个不走运的老太婆,说明先生是个仁慈宽厚的人,我不愿你受到伤害,所以特来给你报信,算是我报答你对我的好心。"

泰山惊奇地问:"我有什么危险吗?"

坦布萨说:"我的丈夫甘互赞已经指派和你同住的武士杀害你了,刚才我亲耳听到他在吩咐他们。等一会儿,他们跳完舞,大约在半夜的时候,就要进这间茅屋来了。如果那时你还醒着,他们就会托词说是来睡觉的,如果你睡了,他们就会下手杀死你。他们会躺在你身边装睡,等你睡了,他们就一拥而上行刺。总而言之,甘互赞非常想得那个白人的巨额赏金,决心非杀死你不可呢!"

泰山恍然大悟说:"哦!对了,我忘了有巨额赏金这回事。"他想了想又问:"这我就不懂了,甘互赞既然不知道那白人的去向,就算能杀死我,他又到什么地方去领赏呢?"

坦布萨说:"他们没跟你说实话,那个白人走得并不远,甘互赞知道他们走的路线。他可以派人去追他们,那白人为了等你的消息,走得很慢呢。"

泰山问:"你知道他们在哪儿吗?"

坦布萨问:"你要去找他们吗?"

泰山坚定地点了点头。

坦布萨说："这里的路径太复杂，我没法用语言向你说清楚他们所在的地方，就是告诉了你，你也会在岔路上迷路的。但是，我可以领你去找他们。"

在泰山和坦布萨谈话的时候，他们没有注意，一个小小的黑影悄无声息地闪进了茅屋，伏在他们后面的地上。泰山他们没看见他，他却把泰山和坦布萨的谈话偷听了个清清楚楚，听完之后，又悄悄地闪了出去。这小黑影就是酋长的儿子，名叫布拉奥，是酋长的小老婆生的。这小东西从小就品行不好，专会在父亲和坦布萨之间挑拨是非，素常就和坦布萨仇怨很深，总想寻衅生事。今天看见坦布萨拐进泰山屋里去，他想一定是去干什么坏事，于是悄悄跟了进来偷听，然后好到父亲那儿去搬弄是非，也可博得父亲的宠爱。

泰山和坦布萨当然不知道有人偷听了他们的谈话，最后坦布萨轻声说："既然这样，我们不如赶快出发，免得被他们发现了。"

坦布萨最后这两句话，布拉奥却没有听见，因为他急于向父亲告密，早已向村中飞跑去了。然而此时，酋长看跳舞正看得出神，根本没听见小儿子在叫他。

等到坦布萨领着泰山偷偷地出了村门，已经进入黑暗的丛林时，酋长派来追赶他们的两个人也已经追进了丛林。不过，四个人虽然走的是同一个方向，走的路径却不同。

泰山和坦布萨一直向前走，等走到离村落较远，可以自由说话的地方，泰山才又问坦布萨，是否看见过一个白种女人和一个白种小孩，这是他非常急于知道的。

坦布萨这时才敢大胆地告诉他:"是!有的,的确有一个女人和那伙人一起走,不过那个小孩,不像白种小孩,似乎是个黑种人,我只远远地瞥见了一眼。后来听他们说,那个黑孩子在我们村里患热病死了,他们就把他埋在我们村里了。"

## 十二
## 一个黑人恶棍

现在再回过头来说琴恩。琴恩自从逃出来之后,第一次在亮的地方看清孩子的脸,为什么惊叫一声就晕倒了呢?原来她发现她抱了一夜的孩子并不是杰克!当琴恩从昏厥中醒来时,见安德森抱着孩子,站在她旁边,脸色又焦急又惊诧,他问她说:"夫人!你怎么了?你生病了吗?"

"我的孩子在哪里?"琴恩并不回答安德森的问话,只顾这样大声叫喊着。

安德森把手中抱着的孩子递给她,她没有伸手去接,只是摇着头说:"这不是我的孩子呀!想必你也知道的。难道你也和那俄国人一样,是个害人的恶棍吗?"

安德森两只蓝色的眼睛充满了惊愕的神情:"这不是你的孩子?怎么会呢?不是你告诉我'金凯德'船上的孩子就是你的儿子吗?"

琴恩说:"不是这个,是另外一个,是个白种人啊!另外一个在哪里?船上一定有两个孩子,这个我不认识。"

安德森说:"船上只有这一个孩子,再没有其他孩子了。如果这个不是你的,我可实在太抱歉了!"

从安德森的神情看,真的是十分难过和不安,他也确实想不出补救的办法。琴恩镇定下来想了想,安德森不认识杰克,出现这样的差错是可能的,看他的目光,听他的说话,可以判断这是实情。

琴恩再看那个小孩,皮肤颜色像美洲的黑鹰似的,嘴里还在咿咿呀呀地说着什么,在安德森的臂弯里跳着蹦着,他还不时转过头来,把上身扑向琴恩,伸开两只小手,要琴恩抱。琴恩见了,虽不是自己的儿子,但也不忍拒绝,只好摇着头叹了口气,走过去把孩子抱过来。

琴恩伤心地流着眼泪,把脸埋在小孩的襁褓中,当她刚看见他的时候,因为他不是自己盼望已久的爱儿杰克,曾经十分失望。可是她前前后后仔细地想了想,安德森又说除了这个黑小孩之外,船上没有别的孩子,她心里不由得又产生了另一个希望,会不会有人出于仗义,把孩子调换了呢?也许这事就发生在罗可夫的"金凯德"号离开伦敦之前?

目前,这个被人调了包的孩子,倒也是孤苦伶仃、没爹没娘的苦命儿,在这林莽重重的蛮村中,如果自己不给他一点保护,这条小命是会死的,想到这里,琴恩不由得动了恻隐之心,把失子的哀痛暂时放在一边了。

她问安德森说:"你一向在船上,你能估计到这孩子是谁的吗?"

安德森摇摇头说:"我猜不出,水手们是没有人带孩子上船的。如果不是你的,我也不知道他是谁的孩子。罗可夫说过,船上的孩子是你的儿子。现在你打算怎么办呢?我再不能回'金凯德'

船上去了,如果我回去,罗可夫绝对饶不过我,非要了我的命不可。你是不是想回去?如果你想回去,我可以领你到海边,托这里的黑人送你上船,你看怎么样?"

琴恩连忙说:"不!不!我也决不能回去了,我宁死也不再回罗可夫那里。还是让我们带着这可怜的小孩往前走吧!如果上帝保佑,也许我们会得到一条生路。"

这样商量定了,他们又继续往前赶路。好在琴恩身边还有点钱,他们雇了六个摩苏尔脚夫,扛着安德森从船上带来的毛毯和食物,向内地进发。

他们日行夜宿,跋涉在蛮荒的山水间,琴恩从来没受过这种苦,只好勉强支撑着,甚至忘了时日——他们到底走了多少天,她根本说不出。在这疲惫不堪的旅途中,有这可怜的黑小孩偎在她的怀里,对她反倒是个安慰。一路上,琴恩虽然忘不了她的杰克,可是现在怀里这个小生命,使她觉得感情上有了寄托。虽然她明明知道这孩子不是自己的亲生儿子,而且和自己还不是一个种族,可是如今她只有拿他来安慰自己。有时她闭上眼睛,让自己沉浸在幻觉里,把这黑小孩抱得很紧很紧,权当自己亲生的孩子。这也是当母亲的一种天生的慈爱胸怀吧!

开始的一段路,他们走得很慢,因为一路上遇见从海边打猎回来的土人,他们都要仔细询问一下罗可夫的行踪,但始终没打听到什么消息。安德森不忍让琴恩过度劳累,不但走得很慢,而且还常常停下来休息。赶路的时候,安德森就把孩子接过去,自己抱着,而且还想出种种方法安慰琴恩,尽量使她减少烦恼。他还常为抱错了孩子而引咎自责,请求琴恩原谅。琴恩起初对安德森的为人并不了解，这样日复一日，琴恩渐渐了解了他的品格，觉得他是个好心肠的正直人，就劝他不要总是责怪自己，这次差错也实在不能怪他。但安德森对自己的失误，总是不能释然，经常在懊悔自己为什么没把救人的事办得十全十美。

每天黄昏的时候，安德森总是选一处平坦而又安静的地方，搭起帐篷，让琴恩和小孩住宿。他非常细心，还督促着摩苏尔人在帐篷四周垒起围墙，像堡垒一样，保护着帐篷，以防止丛林中的野兽来侵袭。给琴恩的食物，也是他自己用来复枪去打，总是选最好的。琴恩见安德森对自己这样尊敬和周到，没有半点轻慢的举动，也就渐渐地放下心来，觉得真是不可以貌取人，安德森虽然面貌丑陋，但心地却极好，是个难得的好人。

不久，听到了一个消息，在他们的后面来了一支白人队伍。安德森断定是罗可夫追上来了，于是他急忙回到乌干壁河流域，在河边找到一个村落，向酋长买了一条独木船，带着自己的一队人向上游驶去。在河里驾船行驶时，遇不到人，不可能继续听到什么消息。行驶到后来，河道变窄了，他们只好弃了独木船上岸，在丛林里寻路前进。这里道路崎岖，险象环生，安德森总是小心翼翼地保护着琴恩和孩子。

在丛林中走了一段路之后，没想到孩子却患起热病来。安德森心里知道孩子的病是这一带地方最严重、最难治的一种，但他没敢告诉琴恩。他看琴恩平日非常疼爱这个孩子，简直像自己亲生的一样，所以不肯把孩子的病情说出来，以免再增加琴恩的心理负担。但小孩的病势一天比一天重了，安德森觉得没有办法，只好向琴恩说明实情，全队人停止前进，在一条小溪的旁边找了一块地方,搭起帐篷,暂住下来,希望孩子的病能渐渐好转。

琴恩这一段时间一直看护着生病的黑小孩,出去游猎的摩苏尔人回来说,罗可夫带领的人就在他们附近的丛林里搭下了帐篷,用不了多久,就会追到他们现在住的这个地方。安德森认为,罗可夫一定知道了他们的行踪,除了赶快继续上路往别处逃命之外,恐怕没有更好的办法了,所以他主张拆掉帐篷,暂时别管重病的孩子,因为一大群成年人的生命,毕竟比一个孩子重要。琴恩也赞成安德森的意见,琴恩对罗可夫的为人也是很了解的,万一被他追上,必然先要抢回这个孩子。现在这个病孩子如果落在罗可夫手里,绝对没有活下来的可能。另外,自己和安德森不顾死活逃了出来,若再落入魔掌,也必定凶多吉少,所以决定马上动身,往别处逃避。他们为了躲开罗可夫的耳目,有意专找林深草密、人迹罕至的地方走,在这种既艰苦又危险的情况下,那些雇来的摩苏尔人都一个个地偷偷溜走了。

这也不能责怪这些摩苏尔人,他们都有家室,是安德森用钱雇他们来的,平时他们也还忠于主人,如果没有罗可夫的追赶,他们也不会逃走。这一段相处的时间里,他们多次听安德森谈到,罗可夫是个极坏又极狠毒的家伙,他们自然对罗可夫产生了恐惧心理,让他们为了受雇的一点钱,撇下妻子儿女,为并无深恩的主人去拼一死,显然是不可能的。所以在这种性命攸关的时候,他们当然会选择悄悄逃走。

安德森和琴恩接连好多天在荒野里奔走,到了荆棘丛生的地方,安德森就把孩子交给琴恩,自己上前砍开荆棘藤蔓,从没有路的地方开辟出一条路来,衣服被扯破了,手也被划出许多血口子,这些他都不顾,只求赶快逃出这个地区。有一天下午,他们忽然听到人的声音,而且就在他们附近,仔细一听,果然就是罗可夫在那里说话。

罗可夫之所以能追得这么快,正是因为安德森替他开辟好了一条道路,这使得罗可夫畅行无阻,凭空省了不少力气。现在安德森没法子了,只好想法替琴恩和小孩找个藏身的地方,找来找去,在一株大树的后面,他让琴恩抱着孩子坐下,替他们覆盖了些毛刺和树叶,不注意看,勉强可以遮盖过去。

安德森对琴恩说:"从这里向东北方向走,大约有一里路的样子,有一个土人的村落,这还是摩苏尔人告诉我的。我把罗可夫引到别的路上去,我走之后,你就向东北走,去找那个村落。摩苏尔人说,那个村落的酋长待白人很好。眼下情况急迫了,没有别的办法好想,我们只能这样做了。你到了村里,可以请求酋长派人带你到摩苏尔村去,那里离海口不远,也靠近乌干壁河,常有船只来往,如果能幸运地遇到船,你就可以返回英国了。夫人!我祝你一路平安,请恕我只有这么大力量,再不能保护你了,愿上帝保佑你,再会吧!"

琴恩吃惊地说:"你一个人要到哪里去呀?这一路上我们都是患难与共的,你为什么不一起躲进来,然后我们再一起到海边去呢?"

"我要去告诉罗可夫,你已经死了,这样,他就不会再追你了。"安德森说着,露出了一个狡猾而又得意的笑容。

琴恩说:"他肯相信你的话吗?万一不信,再逼着你带路来追我,那又怎么办?"

安德森沉着地说：“我会想办法让他相信的，即使他不信，我也决不会为虎作伥，给他带路的，他若逼我带路，我正好将计就计，把他往别处带。”

"你想没想过他可能杀死你？"琴恩非常担心地问。因为她觉得，罗可夫一定会因为他带自己逃走而惩罚他。安德森没再说什么，只是指了指方才来的那条路，向琴恩表示，他将从这里走出去。

琴恩低声说："事到如今，我也把生死置之度外了，只要有一线希望，我不愿让你替我去做牺牲。请你把手枪交给我，我也会用它。到必要的时候，我会拼死和你一起抵抗匪徒，多一把手总比少一把手好，先过了这一关，我们再谋逃生之计，不好吗？"

安德森说："夫人！时间紧迫，请不必再多说了！如果我们两人被他追上，都得白白送命，与其死两个，不如死一个，况且，我会见机行事，不一定就会死，请你别再固执了。夫人！我看得出来你很疼爱这孩子，那么也该为这孩子想一想，假如我们都被罗可夫捉到，孩子的这条小命也难逃一死，看在孩子的面上，请夫人听我的话吧！我把来复枪和火药留在这里，也许你有用得着它们的时候。"

他把枪和子弹卸下来，放在琴恩身旁，头也不回地就走了。琴恩目送着他从原路又走回去了，知道他是迎着罗可夫去的，也知道他此去凶多吉少，心里非常难过，所以一直目送他转了弯，看不见人影了，还在呆呆地出神。

琴恩回过神来之后，第一个念头就是不如拿着来复枪追上去，一来可以帮他一把，二来自己独自留在这荒野丛林中，也确实有点害怕。她正要伏下身爬出隐匿的地方,但当她抱起孩子,放在自己怀里时,她才注意到,孩子的小脸通红,自生病以来还没有这样红过,用手一摸他的额头,竟烧得烫手了。她知道孩子的病势更严重了,现在只剩下她孤身一人,她真是又急又怕,不知所措。

琴恩失神地站了起来,走出丛林。现在她仿佛忘了一切,忘了来复枪和子弹还放在她藏身的地方,忘了安德森的危险、罗可夫的追踪,也完全忘了自己处境的危险。她那一颗充满年轻母亲慈爱的心,现在不知不觉都在孩子身上了。她想帮助孩子解除病痛,可是她又束手无策。这时,她多想找一个自己也有孩子的年轻妇女,和她商量一下,共同想个办法,那该多好啊。正是因为有了这个想法,使她记起了安德森曾告诉她的那个村落,赶快到那里去,也许还有办法。想到这里,她一刻也不敢再耽搁,急忙抱起孩子,按照安德森指示的方向快步走去。

这时琴恩又急又累又怕,不觉已是泪眼模糊,紧紧地抱着孩子,用悲苦的声音叫着:"热病——热病——热病!上帝啊!救救这条小生命!"

好容易找到了安德森说的那个村落,村里人听不懂她的话,但看她抱着一个孩子,脸上焦急万分的样子,也猜到了八九分。这时,有一个土人少妇走上前来,看了看孩子,就领她走进一间茅屋,设法急救这垂危的孩子。

这时,消息已传遍了蛮村,有一个人赶紧去请了一个巫医来,巫医来了以后在屋子里点了一个小小的火堆,搁上一只盛水的罐子,把孩子放在靠近火的地方,还掏出一包不知是什么药来,倒进罐子里煮。那巫医蹲在火旁,口中念念有词,用手在瓦罐上面绕着圈子画符。过了一会儿,水煮沸了,巫医便从怀中掏出一条斑驴的尾巴,蘸着水,往孩子脸上乱洒。这样像做戏一样折腾了一阵之后,就算是医治完了。巫医走了之后,周围坐着的女人们大约已经看出孩子不行了,有的在摇头叹气,有的竟低声哭泣起来。琴恩此时失魂落魄,几乎处于神经失常的状态中,但她也明白围坐的妇女是一片好心,不过她看孩子的光景一刻不如一刻,她已经没有心情去顾周围的妇女了。

到了半夜,她忽然听到外面一片乱糟糟,里面还夹杂着土人们的争辩声。她不懂他们的话,也不知道外面发生了什么事。她认为不会与自己有关,也就懒得去打听。

不久,她听得杂沓的脚步声向她这间茅屋走来了,此时的琴恩已处于木然的状态,怀里抱着孩子,面向火堆坐着。孩子已经没有了哭声,静静地躺着,不时睁开眼看看琴恩,只有这一个动作说明他还没有死。琴恩看着孩子的小脸,心里非常难过,这孩子虽然不是她亲生的,但从"金凯德"号船上逃出来之后,奔波的几个星期中,这小生命一直和她相依相伴,她早已把他当成杰克一样了。现在见他病已危重,奄奄一息,忍不住悲痛地掉下泪来。琴恩此时心里非常矛盾,一方面舍不得他死,希望出现奇迹般的转机,能使他存活下来;一方面却又希望他早点断气,免得多受痛苦,看孩子的神色,明明是没有希望了。

她听到脚步声已经到了她茅屋的门前,却又忽然停了下来,有几个人在门外低声谈话。不多一会儿,酋长甘互赞走了进来。琴恩自从来到这里,还没有见过酋长,当时只有一群妇女把她领进这间茅屋里来。

她初次见到甘互赞，觉得他长得非常狰狞可怕，直觉告诉她这不是个善良的人。他一进来就向琴恩讲话，唧唧呱呱地讲了一大串，等着琴恩回答他。看琴恩不说话，知道琴恩听不懂，于是从门外喊了一个土人进来，这人就做了甘互赞的翻译。琴恩知道甘互赞是想问自己从哪里来、到哪里去，主人问客人这些话，她也视为理所当然，并不知道这位酋长还有什么别的用意。

琴恩明白自己被困在举目无亲的蛮村里了，这里既没有熟识的朋友，也不会有仇人，所以无需隐瞒，于是把自己的前后经历都告诉了酋长。甘互赞问她愿不愿意在这里找到她的丈夫，琴恩惊愕了一下，继而摇了摇头说："这恐怕不可能吧？"

甘互赞很有把握的样子告诉她说："我方才听我手下从海边回来说，你丈夫循着乌干壁河来找你了，不知为什么，和另一个村落里的土人冲突起来，被土人杀死了。所以现在我可以确切地告诉你，和你丈夫见面已经是不可能的事了。我劝你不必再费心费力去奔波，还是及早回海边去的好。"

琴恩听了，为甘互赞的好意关切向他道了谢。但她对于这个消息并非深信不疑。她低下头去，凝视着怀里的孩子，甘互赞觉得再没什么话可说，也就走出了茅屋。又过了一些时间，已接近黄昏了，她忽然看见在昏暗中又有人走进来了，进来的是个女人，见火快熄灭了，又加了一些干柴。

新添的木柴燃起来了，盆里火光熊熊，室内又恢复了光亮和温暖。

琴恩借着火光，再看孩子的脸，见孩子已经死了，究竟是什么时候死的,她也弄不清楚。

琴恩抱着孩子的尸体,把脸俯在上面,泣不成声。就是那些土人妇女,见了这副情景,也大多一洒同情之泪。正在这时,又进来了一个人,站在琴恩面前,呼唤着她的名字。

琴恩听到这声音,吓了一大跳,慢慢地抬起头来,仔细一看,站在她面前的竟是狞笑着的罗可夫!

## 十三
## 逃　亡

罗可夫站在那里，冷冷地看着琴恩，半天没说话。后来，他阴森森的眼光又转到她怀里的孩子身上。琴恩用绒毯盖住孩子的脸，并把他竖着抱起来，好像孩子好好地站在她腿上。

罗可夫不阴不阳地说："你自己抱着孩子偷偷跑到这里来，真是徒劳。只要你能听我的话，我自然会把孩子抱给你，这样，你可以免受许多劳累和艰险。现在，既然你自己把他抱来了，那也好，免得我送了，这件事我倒真该感谢你。我原想把孩子抱到这里来，甘互赞酋长很爱小孩，就拜托他把孩子抚养成人，让他从小成为一个吃人的蛮人。将来，你若能有机会重返文明社会，对儿子牵肠挂肚的愁苦足够你受用一辈子了。那时你在珠围翠绕之中，想起你的儿子还在甘互赞的蛮村里吃人，想必也是很有趣的吧？我深深感谢你替我把他抱到这里来，不过，现在可得请你把他交给我了，好让我把他送给他的义父义母。"

罗可夫说完，就伸出手去抱那孩子，带着一脸凶狠得意的狞笑。

出乎他意料的是，琴恩毫不犹豫就把孩子递到他手中，说："小孩子在这里，你抱去吧！感谢上帝，现在你再想伤害他，也无论如何办不到了!"

　　罗可夫听琴恩这样说,又看到琴恩泰然的表情,有一瞬间非常莫名其妙,连忙掀开孩子脸上的绒毯,他脸上的狞笑立即变成了惊异。琴恩此时却在注意看罗可夫的表情,想看看罗可夫到底知不知道这孩子不是杰克。只见罗可夫的脸上,此时是失望、愤怒、仇恨,几种表情交织在了一起,琴恩心里马上明白了,她不无快意地想,这对罗可夫也算个不小的打击。

　　罗可夫愣了一会儿,咬牙切齿地把那死去的孩子往琴恩怀里一扔,气得在茅屋里来回乱跑起来,两手紧紧握成拳头,向空中乱打,嘴里不停地咒骂着,继而他抢到琴恩跟前,凑近她的脸怒吼道:"你敢嘲笑我!你以为我失败了,是吗?你别高兴得太早了!我罗可夫总有办法收拾你!我的手段,你只需问问你那人猿丈夫就知道了,他是多次领教过我罗可夫的厉害的。现在我虽然不能把你的儿子留在蛮村里,可我却能从你身上打主意,我满可以把你当作礼物,送给酋长甘互赞,让你给他去当小老婆。等我把我要做的事做完,就来郑重其事地办这件事。你等着吧!反正你是无路可逃的。"

　　罗可夫满以为他这番话会把琴恩吓住,他自己也借此解一解恨。没想到琴恩的表情却是大出罗可夫意料。琴恩这些天来,接连受到强烈的刺激,安德森大义凛然地离她而去,小黑孩子的死,甘互赞告诉她丈夫已死,这些她虽不全信,但也有点半信半疑。这一连串过度刺激,使她有点失常地麻木了。听完罗可夫的话,她只是安详地露了个微笑,她这笑其实是庆幸死去的孩子不是杰克,罗可夫却不明白她这笑的内容,她笑什么呢?难道她有什么对付自己的妙计吗?他倒陷入惶惑之中了。

琴恩很想用死孩子的事奚落罗可夫一番,但是她又没有这样做的勇气。如果罗可夫不知道这件事的真情,他就不会再去找真的杰克了,现在他既已知道死的不是杰克,自己就不要再给他火上浇油,促使他更坚定要找杰克的决心。琴恩虽然不知道自己的孩子现在在哪里,但她坚信,杰克不论在什么地方,都比在罗可夫手中安全得多。至于罗可夫知不知道有人把孩子调包的事,琴恩估计,当初诱拐杰克的时候,可能不是罗可夫亲自去的,泰山当时曾出重金找儿子,也许罗可夫的哪个同谋贪那笔赏金,所以弄出了这个狡计。如果杰克还活在伦敦,那么伦敦警务当局一定会悬赏征求泰山的好友们,替他们领回克莱顿爵士的儿子。如果真是这样的话,她的杰克说不定此时已安然回家了。

琴恩想到这里,知道还是不要用话去激怒罗可夫好。杰克没落在罗可夫手里,这固然是可喜的,也是自己的一线希望。然而,自己的丈夫和安德森现在都生死下落不明,在这漫无边际的非洲蛮荒里,谁能来拯救自己呢?罗可夫是个流氓,他很有可能对自己加以凌辱,想到这一层,琴恩不禁不寒而栗,她不由得想到,与其被这个恶棍玷污,不如自杀来得痛快!

她正在想采取什么办法自杀,忽然一个念头闪过脑际,杰克还在人世,他不能没有母亲,我不如再坚持一下,等待时机,万一能够脱险,不是仍旧能和杰克团聚吗?心里斗争了一阵,她终于放弃了自杀的念头。她平静地对罗可夫说:"请你先出去吧!我要和小孩在一起安静地待一会儿。我自问没有什么得罪你的地方,你为什么要对我如此毒辣?"

罗可夫说:"你遭遇这些倒霉事不能怪我,这是你咎由自取。谁让你偏要嫁给那只人猿,而不接受我这个上等绅士罗可夫的爱情?现在再不必多说了,孩子已经死了,你抱在怀里也没用,不如找个地方把他埋了吧!你跟我到我的帐篷里去,明天早晨,我会把你交给你的新丈夫甘互赞酋长。走吧!"

罗可夫伸出手去,就要抱琴恩怀里的孩子,琴恩赶快站了起来,往旁边一躲,说:"这个孩子该由我来埋葬,只要你派几个人,到村外去挖个坑。"

罗可夫以为琴恩已同意到他的帐篷里去,高高兴兴地满口答应了。他希望早点把孩子埋掉,好早些把琴恩带到自己帐篷里去,他知道琴恩无力抵抗,这一次可得遂心愿了。他站在茅屋外面,招呼琴恩抱着孩子出来,挑了几个身强力壮的部下,自己也陪同着去护送。走了一段路,已经到了离村较远的地方,在一株大树底下,罗可夫指挥部下挖了一个浅浅的坑。琴恩用绒毯把孩子裹好,亲手放进了这个浅坑里,放好之后,她立即转过头去,不忍心看他们把土埋上。等把坟筑好了,她跪在这座小小的坟墓旁,含着泪,替这已死的小黑孩子祷告,祈祷他的小灵魂早到上帝身边去。等把这一切事都做完,她擦干眼泪,带着悲痛的心情站了起来,跟着罗可夫穿过黑暗的丛林,向甘互赞的村落走去。表面看起来,琴恩在很顺从地走着,实际上她心里却在暗暗盘算,接下来该怎么办,现在自己孤立无援了,只能见机行事,想出逃脱的办法。

浓密的丛林,把清凉的月光完全遮住了,林中一丝光亮也没有。饥饿的狮子在远处觅食,不时发出低低的吼声,叫人听了心惊胆战,罗可夫的部下怕遭到野兽袭击,于是点起火把来摇晃着。罗可夫一再催促琴恩快走，琴恩听他的声音在发抖，知道这个胆小鬼已经吓得要死了。琴恩听着森林中群兽的声音，不由得想起了她的丛林之王——人猿泰山，现在如果跟他在一起，那是根本用不着害怕的。可是琴恩哪里知道，此时泰山也正在寻找她呢！

关于泰山已死这个消息，如果由罗可夫口中说出，琴恩是不会相信的，然而是由素不相识的甘互赞说出来的，她就未免疑信参半了。她怎么也想不到，甘互赞竟和罗可夫串通一气，这话正是罗可夫叫他说的！

途中琴恩没敢孤身逃走，她手里没有武器，即使能逃脱罗可夫的追捕，也逃不过被野兽吃掉的命运。她渐渐走到了罗可夫的帐篷前，只见好多人在那里乱嚷，一时大家都不知道他们在嚷什么。后来琴恩看罗可夫大发脾气，从一些白人口中才听明白，原来罗可夫的几个部下趁他不在私自逃跑了，还偷了不少食物和子弹去。罗可夫咆哮了半天，筋疲力尽了，想把琴恩拖进帐篷去，琴恩却拼命挣扎着。有两个白人水手在旁边，他们看了，不但一点儿不同情琴恩，反而饶有兴趣地看热闹，觉得非常有趣，竟哈哈大笑起来。罗可夫此时又气又累，加上刚才在丛林里吓得够呛，琴恩这时又在拼命挣扎，他竟有点降服不了她了。水手在旁边哈哈大笑，他也无暇辨别是在笑谁，越发给他火上浇油了。他怒不可遏地狠狠给了琴恩一拳，琴恩被他打得昏了过去。等她醒过来时，睁眼一看，只见自己已被罗可夫拖到帐篷中，躺在地上。

罗可夫看琴恩醒过来了，就想把她抱到茅屋里的一张小床上去。琴恩一眼看见他的腰带上挂着一把手枪，她很想伸手去抽，可是转念一想，罗可夫比她有力气，若是一抢，自己定会失败,反而会失去一次机会。想到这里,她又闭起双眼,假装又晕了过去,等待合适的时机。

　　罗可夫正要把琴恩抱上小床,帐篷外忽然响起了一阵声音,他不由得掉头向外看去。琴恩微微睁开眼睛,看枪柄离她的手顶多只有一寸,她就以极快的动作,把手枪抽了出来。等罗可夫发觉,转身来抢时,已经来不及了。琴恩如今有枪在手,胆子自然壮了许多。但她脑子里冷静而飞快地思考着,不到万不得已时,不可开枪。如果惊动了罗可夫的部下,就算把罗可夫打死,自己恐怕也逃不出去,因为罗可夫手下那些白人,对自己也不怀好意。

　　但是,现在罗可夫已经发觉了,自己若不赶快采取相应的措施,仍存在很大危险,于是她在罗可夫回过头来的时候,举起枪柄,对准他的眉心用力砸去。罗可夫措手不及,还没来得及喊一声,就被琴恩打晕,倒在地上了。罗可夫手下的人虽听到了咕咚一声,但他们以为是琴恩在挣扎,所以也没有进来管。

　　琴恩站了起来,听听帐篷外面还有人声,罗可夫的部下如果进来,她就会寡不敌众了。于是她走到桌子旁吹熄了灯,在黑暗中想着怎样逃出去。她想:不逃走是不行了,困在敌人的帐篷里,不定还会遭遇什么;逃出去呢？外面是不见天日的丛林,来往的都是吃人的野兽。但是,两害相权取其轻,如果真逃不开一死的话,她宁愿死于野兽,也不愿死于敌手。她明知逃进丛林未必有活下来的希望,但前些天和安德森在丛林里走过,多少有了点经验,不是也有几次遇到危险,都安然无事地过来了吗？尤其是想到在遥远的地方,还有儿子杰克在,更增加了她的勇气,她下定决心逃出去,冒死穿过丛林,到海边去等候船只。

如何走出帐篷？对这一点她也作了周密的思考：从门口出去，显然是不成的，因为她被拖进帐篷之前，已经看过四周，罗可夫的帐篷处于村子的中央，周围还有许多小帐篷和用茅草搭成的简单隐蔽处，分住着罗可夫的部下。于是她轻手轻脚摸到帐篷后面去，想从那里出去，可是找来找去，也没有找到出口。她想，现在如果手里有把刀就好了，灵机一动，她立刻又回到罗可夫身边，在罗可夫的腰带上果然摸到了一把佩刀，她拔出来，在帐篷后面割了一个窟窿。

琴恩探头向外看了一下，心里不禁十分高兴，外边居然一个人也没有，罗可夫手下的人都各自回小帐篷睡觉了。就连值班的哨兵，也守着一堆残火靠在树上入睡了。

琴恩觉得这可是个好机会，无论如何也不能错过，她轻轻地溜出了罗可夫的帐篷，绕过那些小帐篷，向村外走去。

出了村之后，她就开始奔跑起来，一口气跑进了林深枝密的丛莽。林中远处，不时传来各种猛兽的吼叫声，琴恩心里当然害怕。可是当她想起杰克时，不觉增加了很多勇气，她昂起头来，用她娇弱的手拨开荆棘蔓草，在黑暗中摸着向前走。没有多长时间，她的手上、臂上，甚至脸上就都被那些荆棘给刺伤了。

她知道在这儿是不能逗留的，冒着多大的危险也必须向前走，即使被野兽吃了，也总算死得干净。这样一想，她毅然决然，大着胆子往密林深处走去了。

## 十四
## 独自在丛林中

再说坦布萨领着泰山,往罗可夫的帐篷走去。由于丛林里道路崎岖,而且坦布萨年纪大了,腿上又有风湿病,泰山只好等她,所以走得极为缓慢。

正因为坦布萨和泰山走得慢,所以还是甘互赞派去向罗可夫报告的人先到,告诉他那个白种恶魔已到了他们村落,酋长准备就在当天晚上杀死他。那个报信的黑人刚走到罗可夫的帐篷前,就听到帐篷里面非常嘈杂,好像发生了什么变故。仔细一问,才知道有人刺杀了罗可夫,他没被杀死,却晕倒在地上了。后来才打听明白刺杀他的人,就是从村外带回来的那个白种妇女,她现在已经逃得没有踪影了。

罗可夫醒过来之后,暴跳如雷,大发脾气,拿起来复枪,要打死他的部下,痛骂他们跟那女人有私情,偷着把她放跑了。幸而有几个白人拦住了罗可夫,说逃走的仆人已经不少了,若再打死几个,人心会更涣散,大家又七手八脚,夺下了罗可夫手里的枪,罗可夫这才作罢。

甘互赞派来的人报告了情况之后,罗可夫才转怒为喜,正打算回蛮村去,看他们如何杀死泰山。他才高兴一会儿,没想到第二个报信的人马上又到了,只见他气喘吁吁地说,泰山已从甘互赞那里逃脱,而且有人领着他到这里来了。

罗可夫的部下听了这个凶信,都慌作一团。他们都知道泰山的厉害,何况在泰山后面,还跟着一群浩浩荡荡的大猿和猎豹!若是泰山到了这儿,谁都活不成,大家只有死路一条,所以没有人再顾忌什么,只拣近旁的好东西,能拿的尽量都拿上,急急忙忙逃往丛林。没等罗可夫回过神来,大家早都一哄而散了。连甘互赞派来送信的人,也趁乱顺手牵羊地拿了些东西,溜之大吉。就在这一阵混乱之后,罗可夫向周围看了看,只剩下自己和七个白人水手,可怜巴巴地被丢在了这里。

罗可夫向来只会欺软怕硬,在黑人都逃光了之后,现在这七个没逃的水手自然成了他发泄的对象。他又发起脾气来,把这七个水手骂了个狗血喷头。这七个人自然不服,跟着罗可夫,一点儿好处都没得到,动辄挨打挨骂,现在别人都跑了,老老实实没跑的反倒挨骂,也恼羞成怒了。其中一个拔出枪来,对着罗可夫就开了一枪,只可惜他枪法不好,子弹不知飞到哪里去了。可是罗可夫已经吓得面无人色,他也知道众怒难犯,赶紧逃进帐篷里,一句话也不敢说了。

当罗可夫往帐篷里跑时,无意中回头向后看了一眼,瞥见远处的荆棘丛里,有个什么东西在往这个方向来。他看了一眼,吓得魂不附体,甚至连那七个水手还在对准他的背后开枪,他都顾不上反抗了。

罗可夫究竟看见了什么呢?原来就是那个体格高大的半裸白人,正从丛林中向这里走来。

罗可夫爬进帐篷，知道事情已经危急了，身不由己地往帐篷最里面躲，无意间看见帐篷后面有一个大洞，原来就是琴恩逃跑时割破的。罗可夫此时就像被狩猎者追赶的兔子一样，慌不择路地从洞里钻出去，顺着琴恩拨开的那条路，照直往丛林里跑去。当泰山从帐篷门口进去时，罗可夫已经从帐篷后面的洞逃到丛林里去了。

泰山和坦布萨走进来，那七个白人水手是认得泰山的，都吓得四散奔逃。泰山进了帐篷，四面一看，见罗可夫不在里面，他也不去追赶那七个白人。他要找的仇人只是罗可夫，其他的人谁跑了他也不想管。其实那七个水手从这里逃出去，也不一定能保住命，丛林里有那么多野兽，他们可没有泰山那样的本事去降服它们。

泰山在帐篷里仔细找了一圈，见罗可夫真的不在里面，便马上转身出来，往丛林里追去。这时坦布萨拦住了泰山，对他说："他一定得到甘互赞的报告，回村里去找你了，你既要找他，最好是跟我回去一趟，你看怎么样？"

泰山觉得她的话也有道理，就暂时不往森林里去追，又向甘互赞的村子走去。他让坦布萨在后面慢慢走，自己一人向前飞奔而去。泰山猜想，琴恩一定仍和罗可夫在一起。如果他估计得不错，只消用一个小时左右，他就可以把琴恩从罗可夫手里夺回来。

此时，最让泰山忧心的是，莫干壁、猎豹、阿库特和那一群凶猛的大猿都不在自己身边，不然的话，救出琴恩，收拾罗可夫，甚至踏平甘互赞的蛮村，都易如反掌。现在他不能不有点儿担心，自己单身一人，恐怕是会寡不敌众的。

他飞奔到蛮村，在周围寻找了一遍，没见琴恩和罗可夫的踪迹。泰山直觉地感到甘互赞也是个诡计多端的人物，所以并不信任他，只是自己悄悄地寻找。他向村里人探问了一下，都说没见罗可夫回来。大家见他来去这样快，几乎只是一眨眼的工夫，都觉得十分惊异。甘互赞对泰山也有几分惧怕，当然也不敢拦阻他。

泰山又跳上了树，以最快的速度回到罗可夫的帐篷处，他觉得要找罗可夫和琴恩，从这里开始是最可靠的办法。泰山这次看到了罗可夫帐篷后面的大洞，确认他是逃跑了。于是他又向丛林追去，在丛林边上，本来没有路的地方，他发现了一个新的入口处，仔细辨认一下，好像有人或动物曾经走过，而且还是往丛林深处去的。泰山嗅了一下，断定琴恩和罗可夫正是从这里走过去的，于是他不假思索，循踪追了下去。

在泰山前边很远的小径上，琴恩确实在惊慌地向前逃，一心怕碰见野兽或野人。她走得很快，希望找到那条乌干壁河，找到海口，能有机会回故乡去。她独自一人走了一阵，发现路旁大树下堆着许多枝叶和藤蔓。她辨认出这里就是安德森为了救她想把她藏起来的地方，她永远不会忘记这个地方的。

琴恩忽然想起来了，安德森在临走的时候曾给她留下了来复枪和子弹，当时她并没有拿走。现在她手里握着一支从罗可夫那儿抢来的手枪，子弹却只有六颗，在丛林里对付野兽或猎取食物，是远远不够的。而且从这里到海边去，还有很长的路呢!她非常希望在这里能再找到那支来复枪和那堆子弹，便平心静气，在藤蔓中慢慢摸索着找，果然，枪和弹囊还在那里。她喜出望外，用力把它们拖了出来，挂上子弹带，背上来复枪，这一下，她又胆壮了不少。

这一夜，她睡在树上的树枝中间，这还是从前泰山对她讲过的，在丛林中过夜，要躲避野兽，最稳妥的办法就是睡在树杈上。第二天一早，她又匆匆上路。到了下午，她正要横穿过一块林中空地，忽然看见从对面树丛中走出一只大猿来！琴恩听泰山讲过，大猿的嗅觉是极灵敏的，现在，自己又处在上风，很容易被大猿嗅到。于是她慌忙而又轻手轻脚地躲到下风，躲进一丛大灌木后面，按着枪，万不得已时，她只有开枪自卫了。她高度集中注意力，等着下一步将要发生的一切。

她看见那个大猿慢慢地走到空地上，伏在地上仔细地嗅着，似乎在寻找什么。当那大猿经过空地，又走了一小段路之后，从丛林里又走出来一群它的同族，一个个大猿都非常巨大。琴恩数了数，连前面的一个，一共五个！这下她可吓坏了，一个她都对付不了，何况五个！她看见大猿到了空地，都停了下来，东张西望，似乎在等什么。琴恩心里吓得咚咚乱跳，巴不得它们快些走开，如果风向一转，自己躲在这个地方还是会被他们嗅到的。自己只有一支来复枪，怎么对付得了五只凶猛的大猿呢？对付这种巨型的猛兽，手枪当然更不起作用了。

琴恩的目光也跟着大猿凝视的方向，大猿向来路凝望一阵，又向四周张望一阵，看样子，似乎她们还有同类没到齐。哪知过了一会儿，从丛林里又蹿出了一只金黄色毛皮、满身大块黑色斑点的猎豹来。这时，琴恩才明白，原来大猿聚在一起，是同心协力要和猎豹决斗的。她继续看下去,只见那猎豹一声不响,向大猿聚集的空地奔来。琴恩满以为必定要有一场恶斗了,心里又是着急又是害怕。哪知那么威猛的一只豹,走近大猿,竟挤进它们群中坐了下来,悠然自得地用舌头舐着长毛,好像周围的大猿是自己的同伴一样。

琴恩这下可真是大感不解了,因为过去泰山曾经告诉过她,大猿和猎豹是死对头,只要碰到一起,没有不拼个你死我活的。现在它们怎么不但不斗,还亲密得像弟兄,这是怎么回事呢?

接着,又来了一个高大的黑武士,也向空地走来。琴恩心里暗暗着急,怕他被这群猛兽撕个粉碎,但她又不敢喊,只是稍稍站起一点,端着来复枪,向野兽瞄准。她是按照人类应该互相救援的习惯性道德准则,准备救那黑人。哪知黑武士也走到兽群中间去了,而且还对它们讲着话,看样子,像在发布什么命令。后来,他在后面指挥着这群猛兽走过空地,向丛林对面的一条路走去,不一会儿就完全看不见了。琴恩愣在那里,像看了一场神话剧。

琴恩刚才的各种担心这时都释然了。于是她重新背上来复枪,站了起来,从兽群刚才来的那条路逃去。在她后面,还有另外一个在逃着的人,这个人跟她一样,也碰见了这群浩浩荡荡的人兽混合队伍。他远远地望见这支队伍向着他这个方向走过来了,吓得魂飞魄散,这个逃跑着的人就是罗可夫。他认识这群猿、豹和黑武士,是属于泰山的,他只好赶紧躲了起来。野兽走过他面前时,并没注意到他,他们一心要寻找的是泰山。可是罗可夫已经被吓得半死了。

罗可夫追踪的这条路,就是刚才琴恩逃走时走过的一条路。当她逃到乌干壁河边的时候,罗可夫已和她相距不远了。

琴恩到了河边,左右张望,正在想用个什么办法才可以顺流入海。真凑巧,刚好有一只大独木船,半搁浅在河滩上,缆绳就系在一株树上,四围却没有人。她立刻走过去。解开了系在树上的缆绳,用足力气,想把船推下水去。但是,船身在浅滩里陷得很深,她虽然推得满头大汗,那船却没有动。

她只好暂时歇下来,冷静一下,想想该怎么办。忽然,她想起了一个方法:搬些石块来放在浸在水中的船尾上,加强船尾的重量,让船头翘高些,然后再推动船头,这样就容易把船推下去了。但是她找来找去,附近没有石头,她一眼看见滩边有些被水冲来的浮木,在急切之中,这倒也可以用来代替石头。虽然木头没有石头那么重,只要多加些上去,也会起作用的。于是她耐心地一根根搬上去,船尾重量加大了,船头就渐渐从泥淖中昂起来了,琴恩再用力摇着推着,独木船居然被她成功地推下水了。

她为使船下水,用尽了自己的全力,船终于下水了。她在庆幸自己成功的时候,却没注意到,在树丛里站着一个男人,正在注视着她,看到了她努力操作的全过程。他看她做得这样艰苦,心里却在暗笑她徒劳无功,倒是给自己提供了方便。他也正愁没有船只可乘呢,看她费尽了力气把船弄下水,这真是天赐良机,不但自己可以坐享其成,还可以把琴恩再度弄到手,对他来说,这可真是飞了的鸭子又送到嘴边来了。他暗自打算,等她把船完全推下水,自己再蹿出丛林也不会来不及,没有必要过早地出去,反而惊跑了她。他站在丛林里,幸灾乐祸地袖手旁观着。琴恩把船全部弄下水之后,刚要拿起桨来划船,偶然抬头望,看见了丛林里站着一个人。她对他凝视了片刻,不禁恐惧地惊叫起来。原来丛林里站着的人,正是与她势不两立的、无恶不作的罗可夫!

琴恩并不知道自己逃走之后,罗可夫又遇到一大串不顺心的事,以为他带了部下一齐赶来追她,更不知道他说的要开枪只是空口吓人的。她虽然心里恐慌,但还是定了定神,暗自思考着对付的办法。她打定主意:只要自己有一口气,决不能再落入罗可夫的魔掌中!她知道只要船下了水,迅速离岸,他也就无可奈何了。

船现在已经在水中,琴恩快速地向周围环顾了一下,附近再没有第二条船。自己只需奋力划离河岸,罗可夫是绝没有胆量泅水游过来的。

现在,在罗可夫心里,活命的念头已经占第一位了,复仇都放在其次了。假如琴恩肯让他乘船逃跑,他是什么条件都肯答应的,反正他这个人一向如此,必要的时候,可以赌咒发誓,甚至跪地苦苦哀求,事过之后,可以什么都不算数。现在他暗自盘算,船虽然已经下水,琴恩推船已是用尽了大半力气,她没有余力很快划船离岸远去,如果马上追出去,也许还不算迟,所以还要先恐吓她一番。只要有法可想,他还要端端架子,决不肯向前夜被他打昏的女子求情的。甚至现在他还在打算,只要自己上了船,将用怎样残忍的手段蹂躏琴恩。

琴恩的独木舟已经浮在水上了,离岸已有了一小段距离。等到罗可夫赶到岸边,伸手想要抓住船尾时,已经够不着了。琴恩此时连累带吓,早已筋疲力尽,幸而已是脱离虎口,她倚坐在舷边,暗暗祷告,请上帝赐给她平安。

琴恩万万没想到,一来自己忙中有错,二来她也不是个惯于划船的人,缆绳解下之后,忘了把它先放到船里再上船划桨,竟将一段船缆留在岸上了。罗可夫岂肯放过这个良机?他急忙抓住了拖在岸上的缆绳末端。琴恩情急之下,遍摸自己全身,又没有刀子,她不禁吓得发起抖来。

## 十五
## 在乌干壁河上顺流而下

在乌干壁河和甘互赞蛮村之间的路上,泰山又和莫干壁、大猿、猎豹等聚在一起了。泰山仔细地寻找着罗可夫的踪迹,他确认自己走的这条路是正确的;猿和豹的嗅觉更灵敏,它们更是不会嗅错的。要是靠近了这两个人的话,无论如何,都不会放过他们。阿库特非常忠心地替泰山寻找,它甚至不敢完全相信泰山的嗅觉,几次表示疑惑。泰山把罗可夫和琴恩的脚印指给它看,这些脚印很新鲜,清清楚楚,于是它们才放心而顺从地跟着泰山,循着脚印追去。

泰山在走到兽群曾经停留的空地之前,就已发现了琴恩曾藏匿过的地方。他又从脚印上仔细辨认,罗可夫是在兽群过去之后才走过的。脚印清楚地告诉泰山,罗可夫肯定没有和琴恩一起走,因为脚印明明白白地印在地上,先是琴恩走过的足迹,然后是罗可夫的足迹覆盖在上面,两个人都一直向河边走去了。从足迹上可以证明,罗可夫和琴恩之间的距离还不短呢,少说也有几百米。

泰山断定罗可夫在自己的前面拼命地追赶着琴恩,确定了这个判断是正确的之后,他就离开兽群,纵身上了树,飞一样地向前追去。一直追到河边的浅滩上，到了这里，两个人的足迹都不见了。泰山边思索边寻找，这里既没有船，也没有人。从种种迹象看，只可以证明他们两个人都到过这里，却找不到他们的踪影。

从这里所留下的痕迹分析，罗可夫和琴恩很可能是乘同一条船走的。泰山的目光飞快地向河面上一扫，只见在很远的地方，树枝低垂覆盖着的河面处，隐约有一条船，正在向前划着，船上坐着的好像是个男人。

这时，大猿和猎豹也赶到了岸边，它们只莫名其妙地看到主人从河边的一个小高坡上纵身入水，敏捷地向河中游去了。它们只能眼巴巴地看着，却不敢跟着下去。大猿身体很重，不会游水；豹也不熟悉水性，都只能在岸上看着。莫干壁倒是会游泳，可是他必须替主人看管好这群野兽，所以也只能留在岸上。莫干壁想了想，就领着猿和豹，沿着河岸向泰山游的方向走去。

泰山从那小高坡上跳下水去，足足游了有半个钟头，才赶上前边行驶着的那条小船。这时他才看清楚，坐在船尾的只是罗可夫一个人，琴恩不在船上。

泰山一见罗可夫，额角上的疤痕又变成了紫色，喉咙里忍不住发出他所特有的那种令人胆寒的啸声。

罗可夫听到这一声凄厉的长啸，吓得伏在船底，一动也不敢动。他虽然知道仇人在河水中，自己在船上，也许泰山不能把自己怎么样。可他也明白这种侥幸心理没什么根据，这想法也许靠不住，他哪里敢真正放下心来呢？他偷偷地抬头一望，看见泰山已在河水中游过来了。

人猿泰山·猿朋豹友　　147

泰山快要游近船边的时候,罗可夫害怕极了,急忙抓住桨,拼命往前划,希望船前进得快些。正在这时候,对面的河水里微微起了一阵漩涡,有样东西慢慢向泰山游过来,他们两个人各有各的急切心情,谁都没发现水里的变化。泰山游泳是游得很好的,非常快就游到了船尾,他急忙伸手去抓船舷。此时的罗可夫已经吓得不知所措,连逃的地方都没有,只有眼睁睁地等着灾祸临头。正在惊惶之际,却见泰山抖了一下,抓住船舷的一只手虽然没有松开,脸上却显出了疼痛的样子。罗可夫陡然明白了,泰山遭到了报应,自己有了救星。

罗可夫看到泰山后面的水翻起了一阵浪花,后来,水面又起了几个漩涡,他明白了:水里有鳄鱼。泰山此时也感觉到,他的右腿被什么东西咬住了。他的手用力攀住船舷,腿努力蹬水,想摆脱掉那个咬他的东西。罗可夫这时却喜不自胜,觉得有机可乘了,他知道如果让泰山爬上船来,自己休想活命。于是他战战兢兢地拿起一支桨,跑到船尾,对准泰山的头打去,泰山手一松,离开船身,落下水去。

泰山在水里挣扎了一阵,水面搅起了很大的漩涡,一刹那工夫,漩涡散开了,水面又复归平静,只冒出几个水泡来。唉!作为丛林之王的人猿泰山,现在已经沉下水去,沉到乌干壁河底去了!

罗可夫的恐惧没有一下子就消除,他还是紧紧地伏在船底板上,不敢动弹。在最初的几分钟里,他似乎有一点点天良发现,觉得不应该帮助鳄鱼,对被咬的人落井下石。这个念头只一瞬就消失了,恶念又回到了他的心头。他想,这真是上帝保佑自己,在这生死关头,这么凑巧,有鳄鱼来给他消解了厄运、报了仇,这岂不是天意？这使他好生高兴，他的脸上又堆起了狰狞的笑容。但是他这种幸灾乐祸的心情没有持续多长时间。他正想加快划桨，向下游去追琴恩，忽然听到靠近他船只这边的岸上发出了一阵骚动的声音，他循着声音望去，只见在岸边站着一只威猛的豹子，正向自己眈眈怒视。在豹的四周还有五只巨大的大猿，和这群猛兽在一起的，还有一个高大的黑武士。罗可夫转过头来的时候，只见那黑武士用长矛指着他，在破口大骂。

罗可夫心里非常焦急，他恨不得赶快离开乌干壁河，可是泰山的大猿和猎豹对他紧追不舍，日日夜夜地跟着他。有时群兽偶尔落后在丛林中，几个小时不见，不过过些时候又追了上来。这样，罗可夫就不得不总在饥饿和恐惧中过日子。这个本来还可以算得上壮健的俄国人，经过了这一段日子，简直瘦了一大圈，也显得苍老了不少。在乌干壁河上行船，每遇到岸上有蛮村的时候，他都想逃上岸去、躲入蛮村，以躲过大猿和豹的威胁。有时，他也向岸上喊话，求土人来接应他，他许诺给他们什么什么好处，也曾有土人贪图好处，想要来帮他，可每次都被豹子、大猿蹿出来，把他们给吓跑了。

罗可夫沿着乌干壁河行船，却一直没见到琴恩的影子。那次在河岸浅滩上，他抓住了琴恩丢在岸上的缆绳，以为这一下琴恩怎么也跑不掉了，没想到琴恩从船底拿出一支来复枪来，对他瞄准，看样子，她真急了，真会开枪的，他只好把缆绳松开了。他一个人沿着河走，好不容易在上游一个隐蔽的地方又找到了一只独木船，他看四下无人，就解开缆绳，把船从岸边撑开，向下游驶去。他才走了没有多长时间，先是遇到了泰山，刚刚万幸摆脱了泰山，马上又遇上了泰山率领的那支人兽混合的队伍。

琴恩能逃到哪儿去呢？罗可夫苦苦地思索着，也许，她经过蛮村的时候，被土人劫掠去了？

罗可夫如今漂泊在茫茫的乌干壁河上，又被大猿和豹子紧紧追着，一步也不肯放松。他既没地方可逃，又没地方可隐蔽，心里不免悔恨起来，悔恨当初不该和泰山结仇，不然的话，也不会落到今天这样上天无路、入地无门的地步。岸上那一群，让他最害怕的还是那只花斑豹，脸上一副凶相，闪亮的两只眼睛，罗可夫只要和他一对眼光，他马上就张开嘴，露出牙来示威；到了晚上，那双黄中带绿的眼睛更是灼灼逼人，罗可夫甚至觉得常常有两道电光横过水面。

有一天早上，罗可夫忽然发现他的船快到乌干壁河口了，这下，他心里又狂喜起来，因为乌干壁河口外的大海里，就是"金凯德"号停泊的地方。在上岸之前，他曾经托付鲍勒维奇掌管船上的一切，他让鲍勒维奇先派一只小船到邻近的口岸去买些煤，然后再来接自己。现在他已能遥遥看到"金凯德"号还泊在原处，这说明自己不久就将脱险，可以重返故乡了。罗可夫这一喜非同小可。

他于是匆匆忙忙地把独木船向"金凯德"号划去，嘴里还不停地叫喊着，他认为甲板上一定有守望的水手，听见他叫喊，自然会来迎接他的。谁知他喊得嗓子都哑了，船上却静悄悄的一点儿声音都没有。

岸上的大猿和豹子还是在紧紧地追赶着他的船。这时他想：如果船上没有人来营救他，用枪把这群野兽吓跑，它们是决不会放弃追赶自己的，因为兽群后面还有一个黑武士在指挥着他们呢！若真这样，自己根本上不了"金凯德"号。这可怎么好呢？

"金凯德"号上寂静无声，究竟人都到哪儿去了呢？鲍勒维奇呢？难道他们都私自逃跑了吗？果真如此，自己使心费力，在恐怖和饥饿中逃跑，岂不是白费劲了吗？难道我罗可夫眼见"金凯德"号近在咫尺，还是难逃一死吗？想到这里，仿佛死神正在向他走来，他不禁打了一个寒战。

尽管他害怕得要命，但手里还是没有停止划桨，他只有这一条路了，没人来接，他也得想方设法爬上"金凯德"号。他好不容易划到了大船边，正要抓住软梯往上爬的时候，忽然听到甲板上有人向他大喝一声："站住！"他急忙抬起头来一看，几乎又吓掉了魂，原来一支来复枪对准着他！

持来复枪的人是谁呢？原来就是琴恩。我们现在又得倒过来说了。琴恩在乌干壁河畔上了木船，被罗可夫拉住缆绳的时候，她情急智生，举起来复枪吓退了罗可夫，终于成功地逼他离开。直到她的独木舟漂进乌干壁河中流，罗可夫这个坏蛋再也够不到她的地方，她才放心。现在她珍惜每一分钟，拼命地划向最迅疾的河道，几乎是昼夜不停地划桨急速前进。只有在中午最热的时候，她才把船划进棕榈叶子底下，自己躺到底板上，休息一下。这种时候，她就任凭独木舟顺水向下游漂流。在她的旅途中，这是她唯一的一点点休息时间。除此之外，她总是一刻不停地、十分努力地挥动着那双沉重的木桨，拼命顺着急流飞速而下。

罗可夫却恰恰与琴恩相反，他是懒散惯了的，很少运用自己的智力或体力，以便在乌干壁河上逃得更快一点。他总是划几桨

人猿泰山·猿朋豹友　　151

之后，就任凭小船随意漂流，因此，绝大部分时间，他的小船都是漂荡在水势较缓的水流里。尽管他总想躲开岸上时时威胁着他的那讨厌的一群，这个懒惰惯了的流氓还是舍不得多花力气。

正因为这样，尽管上独木舟他比琴恩没晚多少时间，然而在一路上，他们的距离越拉越远。到达河口时，琴恩竟比罗可夫早了两个多小时。当琴恩一眼看到乌干壁河口外的海面上，静静地停泊着一条大轮船时，她的心猛烈地跳起来，心里充满了希望和对上帝的感激之情。但当她更靠近一些的时候，一眼认出了那条船是"金凯德"号，不免又吃了一惊。她的第一个念头是把独木舟再划回去，谁知试了好几次都失败了，根本没有这个可能。这时正赶上落潮，潮水把她的小船卷向"金凯德"号去了。因此她想，若是不能趁着他们还没看见她的时候划走，那就只有上船去这一条路了，上去之后再看情况，也许能开出大海去逃生，用自己的小船渡海，是绝无可能的。

琴恩知道现在自己的处境十分危险，即使划到乌干壁河岸边，自己也不清楚摩苏尔人的村落在哪里——摩苏尔村就是安德森带她从"金凯德"号逃出来之后连夜赶去的那个蛮人村落，自己和他们连语言都不通，去了也同样是有危险的。两相比较，既然同样有危险，不如趁罗可夫尚未回到大船，自己先上去，用重金买通水手，也许能让他们把船开回文明社会去。水手们都不富有，大多是贪财的，自己身边倒还有足够的钱，这个办法也许行得通。明知上大船是冒险，但琴恩目前也只有这条路了。

琴恩打定主意，就趁着落潮向大船划去，一会儿工夫，就靠近"金凯德"号了。从软梯上到船舷，她向两头张望了一下，竟连一个人影也没看见,听一听,舱面上也没有人的脚步声和说话声。她叫了几声:"有人吗?"却没有人应声,只听见河岸远处,有野兽吼叫的声音。她又下来,把独木船的缆绳拴在"金凯德"号的船链上,把独木船拉拢,再从软梯上爬上去,扛着来复枪上了甲板。

甲板上仍旧不见有人,于是她警惕地察看起来,一直把来复枪端在手里,防备着随时可能出现的危险。她在甲板上转了一圈,一个水手也没碰见,她想应该到船舱里再看看,到了舱里,只见有两个水手喝得大醉,正在酣睡。她回过身来,把他们的舱门关了,插上插销,然后又到饭厅去,找了些食物,先吃饱了,然后又回到甲板上去,拿着枪,观察着、等待着、防范着。

琴恩在甲板上待了一个多小时,海面上什么事也没发生。后来,她看见远处有一只独木船划过来了,船上只坐着一个人,起初她看不清楚船上坐的人是谁,后来,小船渐渐划近了,她认出了船上是罗可夫,于是她便举起来复枪,向他瞄准。罗可夫靠近大船,正要爬上软梯,被琴恩大声喝住,罗可夫一开始用恫吓的办法,看看琴恩并不害怕,也不后退,自己身上又没有枪了,只好转而向琴恩哀求,说只要放他上船,什么条件都可以答应。

他啰啰唆唆地向琴恩说了许多废话,惹得琴恩烦躁起来,便干脆告诉他,只要有她在船上,是决不允许他上来的。如果他不知趣,硬要上来,那她就要开枪了。

罗可夫在危险面前向来胆小,只要听见有人要结果他的性命,他是一句话也不敢多说的。现在见琴恩态度强硬,他只好把小船驶开。但他又不敢从原路划回去,因为大猿群和豹子还在对岸站着咆哮。

琴恩知道罗可夫这次离开,如果找不到帮手,他是不敢再回"金凯德"号来的,于是她不再注意罗可夫。这时,她看到对岸一个高大的黑武士率领着一群大猿和一只猎豹,她倒确实有些胆寒,想起前几天在乌干壁河流域的丛林里,遇见的好像就是它们。她可实在想不明白,这支人兽混合的队伍,为什么不辞劳苦,长途跋涉,追赶到这里来呢?他们到底想干什么?

黄昏的时候,她听见小船上的罗可夫在大声疾呼,她抬头望去,才知道他在招呼从这里经过的一条船。她不无恐慌地望着罗可夫招呼的那条船,待它走近些她才看清楚,那是"金凯德"号的一条舢板,上面坐的正是"金凯德"号的水手!

## 十六
## 在夜晚的黑暗中

泰山在乌干壁河里游着,刚追上罗可夫的船,忽然觉得自己的腿不知被什么东西咬住了。他明白了,这一定是鳄鱼。如果换上别人,处在这种境地,恐怕就束手无策了。可是泰山不同,他在兽群中长大,经过非常人所能有的各种锻炼,决不轻易放弃努力。他懂得人在游泳中,只要头露出水面的时候,就要不放过机会吸足气,所以他在挣扎的时候,早已作了这种准备。泰山和鳄鱼斗了一阵,结果还是鳄鱼力气大,而且有硬甲保护,泰山被它拖入了水底。

泰山一到水底,就不能呼吸空气了。他知道憋足一口气至多只能撑几分钟,再拖延下去就会窒息而死了。

忽然,泰山感到自己的身体接触到了湿泥,于是便抽出石刀来,向鳄鱼的腹部猛力刺去。哪知鳄鱼被刺中,虽然疼痛,却没有松口。它咬住泰山,把他拖进一个黑暗的窟穴里去了。泰山感到自己的身体渐渐陷进泥淖里,窟里面十分黑暗,简直像墓道里一样。过了一会儿,他忽然觉得自己的鼻子已经露出水面了。他赶快趁机吸足一口气,却觉得吸进的气带着一种腥而难闻的味道。他凭触觉知道,身体的四周好像都是冰冷的石块,他明白,这里一定是鳄鱼的巢穴了。

那条鳄鱼似乎十分顽强,始终咬住泰山的腿不放,横躺在泰山的身边。泰山觉得,那条鳄鱼好像也在那里呼吸空气,借以恢复体力。过了几分钟,鳄鱼抽搐了一阵,竟不动了,同时也松开了咬住泰山右腿的牙齿。泰山估计他可能死了,仔细一摸,这东西果然没命了。大概泰山的石刀刺中了它的心窝,终于要了它的命。泰山站了起来,在这又腥臭又黑暗的洞穴里摸了摸,觉得面积很不小,像刚才那样大的鳄鱼,足能容下十多条。泰山暗暗思忖:这洞穴恐怕是在河岸底下,鳄鱼既然叼着他能从这里进来,一定也能够从这里出去。

当时泰山的第一个想法,就是赶快从这个洞穴出去。但是他不熟悉路径,究竟能不能找到一条路再回到河面上去,他感到没有把握。是不是会再碰见别的鳄鱼,这也难说。再说从洞穴外上到河面,再游上岸去,也存在各种危险,许多情况难以预料。泰山最后想,不管出去有什么危险,待在这个洞穴里总不是个办法,与其坐以待毙,还是冒险出去为好。

泰山腿上被咬的地方伤势比较重,幸亏没有伤到筋骨,但是感到刺心的痛。好在泰山承受疼痛的能力较强,所以这一点伤,他还能忍受得住,不致妨碍他的行动。

泰山匆匆向外游去,他摸出这个洞穴的地势开始是向下倾斜的,到了一个地方又重新向上,顺着路出去,一直就到了河里。泰山把头伸出水面看了看,离岸只有几尺。泰山刚游出水面,河水一波动,马上又有两条大鳄鱼张着大嘴向他游过来了。在这非常危险的时刻,泰山眼快,看见离河面上方不远处,有一根横斜在水面上的巨大树枝,泰山心头一喜,知道自己有办法逃脱危险了。

泰山纵身一跳,上了这根树枝,等鳄鱼追到的时候,早已经够不着泰山了。泰山急忙向下游望去,罗可夫的独木舟,却已经没有了踪影。

泰山上岸休息了一会儿,把腿上的伤口找东西包扎一下,仍旧向前追踪罗可夫。他到岸上之后,看了看方向,知道自己已在乌干壁河下游的岸上了。本来在陆地上的人追水里划船的人是比较容易的,可是现在自己腿上受了很重的伤,自然会妨碍行走,如果跳上树去走,会更困难。看来一时很难追上罗可夫了。

泰山由于不能快走,自然有了思前想后的余暇。他这时忽然回忆起坦布萨曾对他说过的一些话,不禁心里冒出许多疑问。坦布萨曾经对他说,孩子死后,琴恩虽然哭得很伤心,但坦布萨也能稍稍听懂琴恩讲的英语,琴恩背地里曾对她说过,这孩子并不是她亲生的。泰山觉得这几句话里,自己有许多不解的地方:如果坦布萨说的那个女子真是琴恩,她怎么会否认那孩子是她亲生的呢?也许这女子不是琴恩,而是另外一个白种女子?那么她和安德森把杰克从"金凯德"号上救出来,是为什么呢?是不是由于路见不平而相助?

这样想来想去,泰山越发觉得自己的想法合乎逻辑。他认为死去的孩子一定是杰克,因为坦布萨并没有肯定地对他说那个孩子是个黑种小孩。既然和安德森一起出逃的女子不是琴恩,那么,琴恩现在一定还安然地住在伦敦。过去自己认为琴恩遭了罗可夫的毒手,也许真是错怪了罗可夫?不过,不管怎么说,杰克总

人猿泰山·猿朋豹友　　157

是被罗可夫害死的,若没有罗可夫的歹毒计谋,自己唯一的爱子杰克怎么会惨死在蛮荒里?想到这一层,泰山又不禁恨得咬牙切齿,非要找到罗可夫报仇不可。

泰山腿上虽然受了重伤,但为杰克报仇的心还是很坚定的,于是他不顾腿上的伤痛,毅然向罗可夫走的方向追去。因为他心里的怒火一直不熄,所以额角上那块疤痕一直呈紫红色。

泰山一路直追下来,途中经过蛮村的时候,曾有两次被土人拦住。泰山大怒,长啸一声,直冲过去,土人从来没有听过这种声音,没有见过这样的敌手,吓得逃进丛林或村寨,再也不敢出来。

泰山怀着急于复仇的心情,一路追踪下去,他自己总觉得很慢,其实是他心急的缘故,实际上他的速度相当快,他只比琴恩和罗可夫迟到了一步。他到海边的时候,天刚刚黑,那时空中乌云密布,四周漆黑,几步以外,什么东西都看不清楚。其实,罗可夫和琴恩离他都没有多远。他一点儿也不知道,百米之外的海面上,停泊着的就是载他来此的"金凯德"号,因为现在船上一盏灯也没有。

泰山在黑暗中努力向四周探望,希望能看清有没有船只。忽然他听到对面有船桨拨水的声音,仔细一听,声音又没有了。接着,又听到了另一种声音,他仔细辨别着,仿佛是轮船上软梯被人踏动的声音。他一动不动地静静听了一会儿,心里觉得很奇怪,难道附近有轮船吗?

正当泰山在静听、思索的时候,忽然对面响了一下枪声,接着就是有人中枪的惨叫声。他因为离得远,听不太清楚,里面似乎还夹杂着女人的声音。这样一来,更使泰山吃惊了。他什么也没想，也顾不得腿上有伤，毫不犹豫地跳下水去，向着有声音的地方迅速游去。

原来琴恩站在"金凯德"号的甲板上，看见乌干壁河口驶出一只船来，船上坐着的竟是罗可夫。立在对岸的莫干壁，也看见了这一切，不过，他既不认识琴恩，也不认识罗可夫。接着，"金凯德"号的水手也乘着小船回来了，罗可夫立即上了水手的船，吩咐他们开回"金凯德"号上去。但快要靠近大船的时候，一声枪响，坐在船头的一个水手已经中弹落水，小船上起了一阵骚乱，驶得慢了些。接着琴恩又开了一枪，又一个水手被打死，罗可夫和水手们乘坐的小船被迫退了回去。

站在对面岸上的大猿和豹子也看到了这一切，他们却无动于衷，因为他们不可能明白，这些人之间到底发生了什么事，而他们也不会有什么爱憎倾向。那个黑武士莫干壁就不同了，他是人类，而且他当过酋长，通过观察和分析，他会得出一些判断，他隐约觉得，向大船划去的小船上的一群人，似乎是主人的仇敌。如果他能上到这条小船，结果这群混蛋的性命，就可以为主人复仇出一把力。可是中间隔着乌干壁河水，他干着急，没有办法。

莫干壁能作出这种分析，也是因为他了解一些情况。他断断续续听泰山谈起过：泰山是被仇敌放逐在乌干壁河流域的孤岛上。他还知道，泰山的妻子和孩子也是被这伙坏蛋劫持了去的，看到大船上有一女子向小船上开枪，他有几分猜到这可能是泰山的妻子，那么，小船上的人一定是追逐她的人。他有点明白了，这群坏蛋，要把泰山的妻子和儿子置于死地而后快。他此时几乎可以断定，泰山之所以带着大猿和猎豹走遍乌干壁河流域，一定是为了营救妻儿。莫干壁虽然是个蛮荒中的酋长，可是和泰山相处了这一段时间之后，他对泰山非常敬佩和尊重，他一心忠于泰山。当他看见罗可夫等一伙人划着小船，要向"金凯德"号大船冲去时，他觉得自己应该找一条独木船追上去，而且，把大猿和豹子也一齐带上，好好地收拾一下这群恶棍。

当琴恩用来复枪击退罗可夫的时候，也正是泰山所训练的猿、豹从丛林赶到海边的时候，这是不是上帝有意帮助琴恩呢？

这时，罗可夫、鲍勒维奇和他们的党羽们看看形势对自己不利，都主张暂时退却。但琴恩心里明白，目前的胜利只是暂时的，罗可夫不会死心，他们一定还会再度进攻。

琴恩想，只凭自己一个人抵抗是不行的，于是她趁罗可夫还没有再度进攻之时，和被关在船舱里的两个水手进行了一次谈判，告诉他们，自己准备把大船开向大洋中去，他们必须服从她，否则，她立刻用枪把他们打死，两条路让他们自选一条。两个水手只求能活命，指天发誓地表示愿意服从琴恩。直到天黑时，琴恩才放了他们。在两个水手走上甲板之前，琴恩还多留了一个心眼，她用手枪对着他们，把他们浑身上下仔细搜查了一遍，彻底解除了他们的武装。

琴恩逼着两个水手马上投入工作，当时她思想上也是矛盾的，不知道这样做是不是妥当，因为这两个人只是一般的水手，不懂得如何驾驶轮船，冒冒失失地把船开进大海里去，不是没有危险的。可是她想了想，目前也只有这一条路了，无论如何，开进海去总比落在罗可夫手里好。而且在海洋中也许能遇见其他的船只，有得到救助的机会。琴恩对"金凯德"号船上的物资储备也进行了检查，船上还有足够的食物和淡水，况且，暴风雨季节也已经过去了。她相信只要不落在罗可夫手里，前途还是很光明的。

这时，夜色渐渐深了，重重叠叠的乌云笼罩着岸上的丛林，也笼罩着海面，只是在西边远远的地平线上闪烁着几点半明半暗的光亮。这样的环境正适合于实现琴恩的愿望，因为在这种条件下，敌人看不到"金凯德"号的动静。而在天亮以前，大船就可以趁着涨潮开进沿非洲海岸向北流动的本格拉海流。现在正好趁着南风，一直开到大洋去，琴恩心里唯一的想法，就是在罗可夫发觉之前，她能顺流开出乌干壁河口的视野之外。

琴恩监视着两个水手拉起锚来，心里暗暗庆幸逃生有望了。她开始时还总拿枪防范着他们，后来那两个水手再三向她诚恳地表明态度，他们也不愿意跟着罗可夫，他们绝对愿意听从她的指挥。琴恩一想，在这荒野的乌干壁河流域，船上也确实有不少事需要有人来做，她才收起来复枪，答应了他们的请求。她仍留在甲板上看着他们做一切必要的工作。

"金凯德"号顺着潮水行驶得很快，没走多远，忽然船身一震，被搁浅在一片小沙滩上了。这两个水手对于驾船并不在行，手忙脚乱地弄了一阵，船还是不动。琴恩看了看，离大海似乎并不太远了，她正在着急，不知怎么办才好的时候，忽然，船又浮动起来了，有一个水手顺势把舵转了一下，船居然又能动了。

琴恩觉着船虽然颠簸，但毕竟在前进了，心里感到很高兴。然而，正当"金凯德"号慢慢前进的时候，她忽然听见一个女子的喊叫声，声音非常凄厉，像是被什么事情吓坏了一样。

那两个水手也听到了这声喊叫，都以为是他们的旧主人罗可夫回来了。原来这两个水手是善于权衡利害、看风使舵的人，开始琴恩用枪逼着他们，他们为了保命，只好乖乖地听话。现在他们心里也在暗暗盘算：虽然这女子手中有枪，但她到底只有一个人，罗可夫却有一船人，获胜的可能性还是在罗可夫一边。万一旧主人回到大船上，看到自己帮助女子把大船开跑，那自己也会没命的。于是两个人便凑在甲板的一角，偷偷地议论起来，他们共同的主张是抓住这年轻女人，迎接旧主人罗可夫上船，就算罗可夫再发脾气，自己总也有了将功补过的行动。琴恩却丝毫没有防备，正倚在"金凯德"号的栏杆上，想要听清楚那女人的喊叫声是从哪里来的。这时候，她当然放松了对两个水手的警惕，那两个水手竟从她背后扑了上来。

当她听到背后急促的脚步声，感到不妙时，已经来不及了。她刚要转身，那两个水手已经扑到跟前，把她按倒在甲板上了。她将要倒下去的时候，隐约看见有人从黑暗的海里爬到"金凯德"号船舷上来了。她拼命挣扎了一阵，气力到底比不过两个水手，终于没能取胜，最后，她实在筋疲力尽了，低喊一声，就倒在甲板上了。

## 十七
## 在"金凯德"号的甲板上

莫干壁想找一条独木船,好带着兽群去追泰山的敌人,而且打算进一步渡泰山和兽群到"金凯德"号上去。为了这个目的,他带着猎豹和大猿一直沿着乌干壁河找了下去。快到黄昏的时候,他终于在乌干壁河的一条小支流里找到了一条独木船,船上及四周都没有人,这条船好像是特地为他准备的。

莫干壁见有了船,心里急于去追赶刚才看见了的一小船泰山的仇人,于是,一刻也不耽搁,匆匆赶大猿和豹子先上船去,紧跟着自己也跳入船内。这黑武士没有注意到,原来这独木船上是早已有人的。有一个黑种妇女睡在船底板上,她是从自己的部落里逃出来的。当时因为天色已黑,不大看得清楚,谁也没注意到船底板上有个人,莫干壁这时心里着急,自然也不会去检查船底。

当独木船已经驶出一段路之后,船上的一只大猿忽然发怒咆哮起来。莫干壁吃了一惊,不知又发生了什么事,赶快走过去看,才发现船底板上好像睡着一个人,那人被吓得抖作一团,两手紧紧搂着头部。莫干壁走过去仔细一看,原来是一个黑种妇女。他赶紧从大猿爪子下把她救了出来。等她从丢魂丧胆的状态下恢复过来之后,莫干壁问她从哪里来,为什么睡在船底板上。

她才断断续续地回答说，她父母为了钱财和地位，强迫她嫁给一个素不相识的老人，她实在不愿意，但又拗不过父母，所以只有连夜逃了出来，躲在这只独木船里，大概因为太累了，连自己都不知道什么时候竟睡着了。后来一只大猿把她弄醒，她才发觉船已在河中，待她看清划船的竟是大猿时，她实在被吓坏了，她没敢动，大猿却发起脾气来了。莫干壁问明情由以后，本不想带着这个女人去冒险，可是要送她上岸又得耽搁不少时间，一时想不出更好的办法，只好暂时带着她一起走了。他们的小木船不断向前行驶着，因为天色太黑，看不见距离大轮船还有多远，忽然听见附近似乎也有船在划动，好像也是朝乌干壁河口驶去的，于是莫干壁督促大猿们用力划桨，想要赶上那船。这时正好水的流速很快，莫干壁的小船飞一般地前进，能听清另一只小船就在自己的前面，相去并不甚远。

莫干壁前面的那条独木船原来就是罗可夫和船员们的那条。他们发觉后面有船只跟上来了，却看不见后面船上坐的是什么人。直到两条独木船十分接近、几乎并行的时候，那个坐在船头上划桨的人才向后面追上来的船高声喝问："后面船上是什么人？"问话的人正是罗可夫。

那只豹子听到罗可夫的声音，狂怒地咆哮了一声，罗可夫听见豹的咆哮声，猛地转过身来，正好对上了豹子炯炯的目光。那豹一见前面船上的正是自己在乌干壁河岸上追赶了很久的人，一下子直立起来，两只前爪抓住罗可夫的船舷就要跳过船去。罗可夫一见，吓得丢魂失魄，忙指挥水手们开枪，数枪齐发，但由于水手们吓坏了，竟没有一枪打中。枪声一响，却把莫干壁船上的黑女人吓坏了,惊恐中,不由得发出了一声尖叫。这就是泰山和琴恩都听见了的女子尖叫声。

莫干壁见敌人虚放了一阵排枪,前面的船突然加快了速度朝"金凯德"号划去,便也不敢怠慢,催促着大猿用力划桨,向前边的船紧紧赶去。

泰山跳下水去之后,并不知道船在哪里,只是在黑茫茫的一片河水里试探地游着。他耳中似乎听到桨声,好像有两只独木船在他左近划过,他便追寻着桨声游过去。在波浪滚动之中,他似乎感到又有什么东西追过来要咬他的腿了,因为他刚刚被鳄鱼咬伤过,所以他就不由得加强了警惕,有意避开追着要咬他的东西。正在泰山边躲避危险、边急急向前游的时候,他忽然觉得眼前有什么东西一晃,好像有一个很大的、黑黑的东西挡住了他的去路。

泰山用力向前游了一段,到了够得着的地方,他伸出手去一摸,才知道竟是一艘大轮船。他又向旁边摸去,竟被他摸到了一架垂下来的软梯。他一把抓住软梯,爬了上去。才到栏杆边,他就听到甲板上有声音,似乎有人在上面打斗。

泰山蹑手蹑脚地爬上船栏,这时虽有一层薄薄的云遮着月亮,但毕竟有了些亮光,勉强可以辨别舱面上的事物了。泰山用他那十分锐利的目力向前望去,在月色朦胧中,隐约见有两个男子按住一个女子在厮打着。

泰山暗想:这女人是谁呢?莫非是和安德森一起逃往内地的女人现在又回来了?泰山又向船上四周审视了一番,他马上认出这条船就是"金凯德"号!于是泰山不管那女人是谁,被"金凯德"号欺侮的人,他就不能袖手旁观,他非搭救这个被暴徒揪打的女人不可。那两个水手听到身后有人走过来,正想转过头来看,泰山却比他们动作快得多,早就一手各抓住一个人的肩头,低声喝道:"住手!你们在干什么!"

两个水手还没来得及回答,琴恩在下面却已听出了是泰山的声音,立即跳了起来叫道:"泰山!"

泰山把那两个水手往甲板上一丢,喜出望外地跳起来,欢呼了一声:"感谢上帝,琴恩!真的是你吗?"

他一把将琴恩紧紧地搂到胸前,像是找回了已丢失的奇珍。他们还没来得及仔细端详一下对方的面目,他们的仇人已从小船爬到"金凯德"号上来了,罗可夫带着五六个水手正翻越栏杆,向甲板上爬来。

第一个上来的是罗可夫。这时月亮完全从云层里钻出来了,一片清光流泻在甲板上,一切都看得清清楚楚。罗可夫猛然看到泰山站在甲板上,着实吃了一惊,连忙躲到一边去,命令水手向泰山和琴恩开枪。泰山急忙把琴恩推到船舱后面藏起来,自己一人纵身过来捉罗可夫。这时,旁边有两个水手向泰山开枪,可是泰山眼快,都被他躲过了。其余的人还没来得及举枪,听得后面有声音,转头一看,立刻都被吓坏了,一群不知是什么的狰狞怪物,也从软梯上爬上来了,有的正在翻越栏杆。

水手的枪没有打中泰山,泰山就奋不顾身地去捉罗可夫。罗可夫没地方可以躲藏,就慌不择路地躲在两个水手背后。哪知这时又上来了一群大猿和一只猎豹,这下罗可夫可吓得没命了,连跌带爬地往船舱里躲。泰山面前还有两个水手挡着,所以不能马上去追罗可夫。可是,大猿和豹子胜利地到达甲板之后,不等莫干壁指挥,只要被他们逮到的水手,都成了他们的美餐,一个个分头在甲板上大嚼起来。

在兽群猛咬猛吃之际,水手们吓得没处可逃了。有的吓得手脚瘫软,没有了逃跑的力气;有的被吓呆了,不知该往哪儿躲,轻而易举地被野兽吃掉的不在少数。只有身强力壮、胆子又大的四个水手躲进船舱里去,算是侥幸逃得了一条活命。那四个躲进船舱的水手原来只想关严了舱门,防止野兽闯入。没想到一进船舱就看见罗可夫也躲在里面,这四个人一见,不由得气不打一处来,因为他们熟悉平日的罗可夫,在这些水手面前,端着主人的架子,指手画脚、颐指气使,稍有些怠慢,非打即骂,他待人又非常刻薄,轻诺寡信,欺骗大家,如今面临危险,作为一船之主,不顾大家的死活,倒先一个人躲起来了!他们越想越生气,此时不报复,再等何时呢? 于是,四个人没有商议,不约而同地扑上前去,抓住罗可夫,大家合力一使劲,就把罗可夫扔上了甲板。罗可夫一向是个欺软怕硬的家伙,处在这种境地,他苦苦哀求,说尽了好话,可是四个水手谁也不听他那一套了。

泰山冷不防看见有个人被扔上甲板来,还不知是怎么回事,仔细一看,原来竟是罗可夫,心中不禁掠过一阵狂喜,真是踏破铁鞋无觅处,得来全不费功夫,心里暗想,这回看你还往哪儿跑!谁知这时,有一个硕大的动物比泰山更早地看清楚了,动作也抢在了泰山的前头。这就是那头猎豹,他张开大口,龇着锋利的牙齿,一阵风似的向罗可夫扑了过去。

罗可夫一见他最害怕的猎豹向他扑来了,这次可真吓得魂不附体了,还没等豹子扑到跟前,他已经瘫软在地,抖作一团了,嘴里只会发出颤抖的"啊、啊"声,除此之外,再也不会做任何动作了。

泰山的胸膛已被仇恨和愤怒填满,他本想决不能失去报杀子之仇的良机,这次一定要手刃敌人,以往的多次仇怨,也就一次清偿了。他正要去抓罗可夫,琴恩却猛地拉住了他的手。原来琴恩也不是不恨罗可夫,但她不愿看到丈夫亲手杀人,所以自然而然地有了这个动作。泰山这次却是报仇之意已决,决定不接受琴恩的劝阻。但这样一耽搁,却让猎豹抢了先。

泰山对猎豹猛喝了一声,豹子的动作猛地停顿了一下,而贼鬼溜猾的罗可夫却抓住了这个间隙,慌慌张张地逃上了舰桥。那豹此时也红了眼,不再听从泰山的指挥,猛地一蹿,直追上舰桥去了。

泰山也正要一个箭步跟上去,猛觉得有人紧紧拉住自己的手臂不放,回头一看,竟是琴恩站在他的下面,低声对他说:"请你别离开,我害怕啊!你看看我身后这一群!"

泰山向琴恩的后面看去,原来那群巨大的大猿,正在那里目光凶恶地望着琴恩,其中几个已露出了獠牙,似乎也想扑上去把琴恩当作食物。

这时泰山才忽然察觉,自己太粗心了,阿库特它们从来没见过琴恩,自然不认识,它们是兽类,怎么能分辨敌友呢?而且它们刚才尽兴地撕咬水手,泰山并没有拦阻它们,现在它们野性还没发够,只要见了不是它们的同类,又不是它们熟悉的人,当然就想撕咬。

泰山很费了一些时间,对大猿又是说又是喝斥,刚把它们安抚住，心里仍旧丢不下豹子去追罗可夫那件事。他希望豹子不要那么快咬死罗可夫，好让自己亲自动手杀死这个恶棍。他抬头向舰桥上一看，那豹子已渐渐在逼近罗可夫了。

那豹子把肚子贴在地上，匍匐前进，嘴大张着，露出尖利的獠牙，喉咙中发出呜呜的发威声。罗可夫吓得遍身冷汗，木雕泥塑一样呆在那里。他向下一望，甲板上有几只大猿，也在圆睁两眼，怒视着自己，他明白自己处于上下夹攻了。其中还有一只大猿，一只前爪已经抓住舰桥的栏杆，眼看就要跳上来。前面那只伏在地上的猎豹，也在神情专注地等着自己。

罗可夫现在绝没有退路了，上天无路，入地无门，两腿已颤抖得站不住，呻吟了几声，倒在地上，缩作一团。那豹子扑了上去，跳上罗可夫的胸口，对准他的咽喉狠狠咬了下去。琴恩吓得不敢看，急忙转过身去。但泰山看着却十分痛快，他看着豹子撕扯着、吞噬着仇人的身躯，怒气渐消，额角上的伤疤也逐渐不再显现红色了。这个凶残下流、无恶不作的俄国贵族，现在总算恶有恶报，在豹子的口中结束了他罪恶的一生。

琴恩见罗可夫已死，便对泰山说，看在都是人类的分上，最好还是把罗可夫的尸体从豹子口中夺出，丢进大海里去。泰山就走过去，拍拍豹的头，同时抓住罗可夫的一条腿，意思是要豹松口。平时豹子对泰山非常敬爱，也很服从，这一次可是无论如何不肯了。泰山想想豹子跟着自己，东奔西走，忠心耿耿，这一次，它也不见得是贪吃，而是对主人仇敌的憎恨，也就不忍再去强夺，让豹子遂心如愿吧！

豹子把罗可夫的尸体慢慢享用了一夜，吃得"金凯德"号的甲板上到处都是血迹，到第二天早晨，这位罗可夫先生就只剩下几块残骨了。

罗可夫的部下几乎全军覆没，都被兽群做了晚餐。其中有四个水手做了俘虏。漏网的只有一人，那就是鲍勒维奇。

俘虏中有一个原是"金凯德"号上的大副，泰山本想指挥这几名水手立刻开船，到丛林岛边停泊一次，好送大猿和豹子回故乡，然后自己和琴恩设法回伦敦去。没想到从晚上起，刮起了很猛烈的西风，船上只有四个水手，根本不够用。于是只好把船停在河口里，等风势小些再说。

那群大猿和一只豹子经过泰山和莫干壁的多日训练，现在已不那样野性十足，渐渐通人性了。它们见四个水手在为主人服务，也就不再为难他们，即使水手从身边走过，它们也只当看不见，不理不睬了。白天，它们只是在"金凯德"号的甲板上或坐或卧，有时也起来闲荡一会儿。到了夜晚，泰山怕它们掉进海里去，就把它们关进舱里。

泰山这时才有时间听琴恩从容地诉说过去的一切，他听琴恩告诉他，在甘互赞村里死的那个小孩子不是杰克，而是一个黑种男孩，他这才真正放了心。但是，这个黑种小孩到底是谁的？自己的儿子杰克现在又在哪里？罗可夫死了，鲍勒维奇跑了，船上的四个水手都问过了，他们只管行船，对这些确实不知情，这可就无从打听了。但有一点，泰山和琴恩是可以放心的，那就是杰克没有死。而且，几乎还可以确定一点，小杰克根本没有被诱拐到"金凯德"号船上来。因为，安德森曾对琴恩说过，"金凯德"号船上除了这一个孩子，再没有其他的孩子。

## 十八
## 鲍勒维奇策划复仇

琴恩和泰山在"金凯德"号甲板上互相诉说前一段时间的遭遇,同时也商量着上岸之后如何去找杰克,他们一点儿也没有注意到,岸上正有一个人贼头贼脑地在向他们窥探。

这人就是从"金凯德"号侥幸逃得一条活命的鲍勒维奇。他悻悻地逃到岸上之后,咬牙切齿地在绞尽脑汁想主意,他要计划一套周密的办法,必须成功地让这个英国绅士和他的妻子回不到英国去。他估计罗可夫一定死了,他要为自己的头子加伙伴报仇!可是,要达到这个目的,得有一套切实可行的计划呀!从前还有个罗可夫可商量,现在可全得靠自己了。他苦思冥想,可是怎么也想不出一个妥善的办法来。现在他满脑子被阴谋所盘踞,左冒一个想法,右冒一个念头,可他觉得都不行,都达不到有把握的程度。他固执地认为,他和罗可夫做的事没有什么错,不应该受到什么干涉,如果有人出来横加阻拦或破坏,那就是侵犯他们的自由。现在泰山这些人还居然把他的头子和伙伴杀死,把他一个人赶到非洲的蛮荒里来,今后他只能在野蛮人和野兽之间当个亡命之徒了!想到这儿,他又怕又恨,此仇不报,誓不为人!

鲍勒维奇左想右想,怎么也没能想出个好主意来。到后来他简直有点想入非非了：自己要能有两个翅膀，那该多好！飞过广阔的乌干壁河，飞上"金凯德"号，尽管他泰山有力气，我可以给他个明枪易躲、暗箭难防呀！妄想到底是妄想，最终还得回到现实中来，这宽阔的乌干壁河，又找不到独木船，怎么才能过去呢？他忽然想起这里离摩苏尔村不远，是不是可以到那儿去找条船？要去就得赶快，不然，"金凯德"号就要开走了。他主意已定，就片刻也不耽搁，急匆匆向浓密的丛林走去，心里还不断诅咒着"金凯德"号上的两个仇人。他一心想着报仇，丛林里遍是野兽的脚印，他也顾不得害怕了。

鲍勒维奇一边走一边想，还在盘算着报仇的计划：赶快到摩苏尔村去，最好能顺利地弄到小船，连夜追赶"金凯德"号船。在大船上，还有几个他们原先的水手，这些水手没能跑脱，在船上混在野兽群里，一定受够了恐怖的折磨，心里也一定对泰山不满。如果和他们商量好，配合默契，或许可以把"金凯德"号从泰山手里夺回来。只要制服了泰山，那群野玩意儿倒容易消灭，关在舱里，一阵排枪就完了。一路想着，他竟渐渐得意起来。

鲍勒维奇还想起来，在"金凯德"号的一个船舱里，他还保存着不少枪支和子弹，而且在他船舱的桌子抽屉里，还有一个定时炸弹。这个定时炸弹，还是当年鲍勒维奇参加一个恐怖组织时，那个组织给他的图样叫他仿制的，他保存着一直没有使用。当时政府曾号召他们自首，答应给予赏金并给予特赦。他贪图赏金，便去自首了，不但自己自首，而且还供出了很多党徒，恐怖组织内的人，几乎被他一网打尽，他当然得了许多好处。有些党徒被判了死刑，在行刑之前，曾揭发鲍勒维奇也参与过不少罪案，但当局已经把他定在特赦名单内,他又确实有立功表现,只好不再追究,于是把他放掉了。

以前,每当他看到这颗定时炸弹,总会想起被他出卖了的人,心里不大好受。现在,这个定时炸弹对他可太有用了,简直是个法宝了。他下船之前,把它装在一个小木盒中,放在抽屉里。现在如果没被别人拿走,在自己手里只要摆弄一下,转眼工夫就可以把"金凯德"号炸个粉碎。鲍勒维奇想到这里,仿佛胜券在握。他用舌尖舔了舔嘴唇,露出一脸奸笑,两条本已十分疲倦的腿,这时也好像陡然增加了力气。他飞快地向前走去,一心想找到一条小船。

一直走到下午,鲍勒维奇才赶到乌干壁河畔的摩苏尔村,进村去拜会酋长。酋长认识他,上次他跟罗可夫一同来过。酋长和他们前次相处中,受过他们的欺骗,所以这次见他又来了,心里十分讨厌。鲍勒维奇还颇不知趣,厚着脸皮向酋长要一只独木船。酋长火冒三丈,马上命令手下人驱逐鲍勒维奇出村。那些黑武士也很讨厌他,听酋长一声令下,大家闻风而动,手执长矛,把鲍勒维奇包围起来,容不得他不走。

酋长点了十二名精壮武士,押着鲍勒维奇出村。临走时,酋长还严厉警告他,以后胆敢再来,可就不再像这次这么客气了,到了那时休怪摩苏尔村的人手下无情。

鲍勒维奇被他们用长矛逼着,只好忍气吞声,退回到丛林里去。走到离村较远的地方,转过身来看看,见那些黑武士谈笑着回村去了。他又向四周扫视了一下,确知附近没有人监视他的行踪,他的胆子又渐渐壮起来。他想,要不到船,那就只有去偷!反正

人猿泰山·猿朋豹友　　173

不能老留在非洲这片蛮荒里,万一再遇见刚才那样的酋长,准死无疑,若是遇见猛兽,就更没有活命的可能。他想来想去,认为只有回"金凯德"号才是唯一的活路。若能得到船上的水手的援助,即使炸不掉"金凯德"号,自己也总有别的办法可想。他只有求生和复仇这两个念头,对于目前的危险也顾不上了。他隐身在草丛中,慢慢爬向河边,大睁着两眼,专等有船只经过,他就好打劫。

望了好一阵,见远处好像有一只小船,从摩苏尔村那边划过来。船上仿佛只坐着一个十几岁的小孩,慢悠悠地从河里划着桨过来了。看他行船的方向,正好往下游去,鲍勒维奇满心欢喜,就在岸上离船不远的地方追着。

走到离摩苏尔村不远的地方,那小孩用桨把水一拨,船就进了一个浅滩,正好泊在鲍勒维奇这一边。那孩子把船驶进港口,跳上岸,把缆绳拴在了一棵大树上。鲍勒维奇满以为他要走了,谁知他系好缆绳之后,又跳回船里,蹲在那儿不动,不知他是来玩玩的,还是要等什么人。现在离打猎的时间尚早,孩子就在船底板上躺下来睡了。

鲍勒维奇心里像着了火一样,他算算时间,从现在开始动身,到"金凯德"号上,刚好天黑,时机正合适。可是,小孩不走,怎么才能把小船弄到手呢?他轻轻走过去,看看那小孩,睡得正香,还打着鼾。他想,不能再等了。他放轻脚步,向小船走去,不小心脚下踩断了一根枯树枝,发出了一声清脆的响声,那小孩身子动了一下,鲍勒维奇以为把他惊醒了,脚步停了一下,并掏出手枪来准备着。原来那小孩并没醒,翻了个身,又睡去了。鲍勒维奇慢慢走近,把枪口放在离孩子胸口很近的地方,扣动了扳机,小孩胸口上立即出现了一个窟窿,鲜血汩汩地流了出来。

那小孩中枪弹后,并没有马上死去,猛然坐了起来,张了张嘴,却没能发出声音来,随即又倒了下去,就这样死了。

这个杀人凶手见小孩不动了,急忙跳上船去,把小孩的尸体丢进河里,尽快地把船划走了。可怜这个孩子,尸体不久就会被鳄鱼吃掉,他的父母和村里的人,根本不会知道他是怎么失踪的。

鲍勒维奇解缆上船,快速地划着桨,向乌干壁河口驶去。

小船划出河口之后,天色已经昏黑,稍远的地方已然看不清楚,他心里又着急起来。他深恐泰山心急冒险,急急把"金凯德"号开走,果真如此,自己一切辛苦就都落空了。若把自己单独留在这个地方,那可实在糟透了。但是,没确实看清楚之前,他是不会死心的,他一边寻找着,一边仍努力向前划。盲目地划了好一阵,在很远的黑暗中,他竟发现了一丝光亮,浮出水面很高的地方,隐隐约约,很像是桅杆顶上的灯。鲍勒维奇这一喜可非同小可,他几乎想喊出声来,"金凯德"号真的没有开走啊!呜啦!自己一切辛苦都没白费!

他把小船停了一会儿,静下心来,想了想下一步该怎么办,千万不能功亏一篑。他非常小心地用桨拨着水,好不让波浪的漩涡把他卷进海去,因为河流入海处的水是很急的。没用多少时间,鲍勒维奇在黑暗中已经靠近了"金凯德"号。他侧耳听了听,甲板上什么声音都没有,于是他大起胆子靠上船舷。胜利已经在望了,用不了多少时间,他就可以把"金凯德"号炸为乌有。

鲍勒维奇知道,越是接近胜利,越不能大意,他小心翼翼地从软梯爬上了甲板,但他心里还是战战兢兢,因为他知道船上有大猿和豹子,不知此时它们是不是被放在外面。但转念一想,复仇就在此一举,再危险也不能放弃,于是他咬一咬牙,又壮起胆子往前走。船上一点儿声音也没有,他仔细看了看甲板上,确实没有守望的人。鲍勒维奇放轻脚步,像做贼一样,向水手们住的舱房走去。他忽然发现有一个水手借悬挂着的灯光在那里看书。鲍勒维奇认识这个水手,这个家伙也是个有名的流氓。鲍勒维奇想,这下碰到合适的人选了,如果把自己的计划告诉他,请他当助手,他多半会同意的。于是他轻轻走过去,眼睛一眨不眨地盯着那个水手,深恐他突然看见自己,会惊叫起来。

那个水手看书看得入神,一点儿也没注意到鲍勒维奇的脚步声,直到鲍勒维奇走到他跟前,低声呼唤他,他才吃惊地抬起头来。睁大了眼睛,呆看了好几分钟,他才认出站在面前的是罗可夫的助手鲍勒维奇,脸上马上现出不高兴的神色,并没表示欢迎,而且不客气地问他:"坏蛋!你从哪儿钻出来?我们都以为你早死了呢!真没想到你还活着。你来了也好,我想克莱顿爵士一定愿意见到你!"

鲍勒维奇听了,并没感到失望,反而往前凑了凑,堆起一脸讨好的笑容,还向那水手伸出一只手,以表示亲热。可是那水手并没理他,仍以一张冷淡的面孔对他。鲍勒维奇赶忙解释说:"兄弟!我是来帮你们的,咱们共同除掉那个英国佬,还有他带的那群畜生,咱们不就没有危险了吗?然后就可以安然返回故乡了。现在趁他们正睡觉,把那英国佬夫妇和那个黑奴刺死,至于那群野兽,更好对付,只要一排子弹就够了。他们现在在哪里?"

那水手冷冷地板着面孔回答道:"他们都在舱里。不过,鲍勒维奇!听我告诉你,无论你怎么花言巧语,我都不会听你的。我和克莱顿爵士没冤没仇,他们夫妇也对我们很好。那个人面兽心的罗可夫已经遭了恶报,我看你也离死不远了。当初你们两个是怎么对待我们的?像对狗一样,非打即骂。你想我会跟你合作?我会随你去杀克莱顿爵士吗?我劝你别做梦了!"

鲍勒维奇不大相信地说:"听你这话,难道你也反对我吗?你别忘了,你可是我和罗可夫花了大价钱雇来的。"

水手点了点头说:"是的,我当然反对你!"过了一会儿又说:"除非你肯花些钱,好好酬劳我一下……"

鲍勒维奇一听事有转机,喜不自胜地连忙问道:"怎么样?有钱你肯帮我?"

水手说:"忙什么?你听我说完嘛!你若肯用钱酬劳我,我可以趁克莱顿爵士夫妇没醒,把你放走。至于帮你做坏事,你给钱我也不会干。"

鲍勒维奇哭丧着脸说:"你放我到丛林里去,用不到几天工夫,我就得送命,难道你忍心这样吗?"

水手说:"放你到丛林去,也许你还有机会活命,你一定要留在这里的话,老实说,你死得更快。不信你试试,假如我叫醒了我的同伴们,不用我说什么,看他们会不会杀你!今天算你运气好,碰见了我,要是碰见别人,可没我这么客气。"

鲍勒维奇又开始用威胁的办法:"你别做梦了!你以为那英国佬是好人?他把你们骗到法律管得到的地方,准会把你们送上绞刑架!你还是听我的话为好,放明白点,别再蒙在鼓里了!"

水手说:"不!克莱顿爵士绝不是那种人。他清清楚楚地告诉过我们,一切坏事,都是罗可夫和你主谋,我们只不过受了你们的利用,他说了,他不会为难我们。"

鲍勒维奇想不到这个水手软硬不吃,他仍不死心,又费了半个多钟头口舌,又是吓唬,又是央告,软硬兼施了一通,没想到那水手铁了心,就是不答应。

最后水手干脆告诉鲍勒维奇,只有两条路,让他自选一条:一条是送他到泰山那里去,另一条就是要他把"金凯德"船舱里和他身上的钱都交出来,乖乖地离开这里。鲍勒维奇还想磨蹭,最后水手不耐烦了,高声叫起来:"这两条路你快点决定,我可要去睡觉了。快说!是上爵士那儿去,还是到丛林去?"

鲍勒维奇还想试一次,低声地说:"你真的不会后悔?"

那水手恼怒起来,高声喝道:"住嘴!少再啰唆!你若还执迷不悟,我可没那么大耐性了,你休怪我把你扣在这里!"

鲍勒维奇知道,现在是真无法可施了,他当然明白如果落入泰山之手,自己必死无疑。如果上丛林去呢?虽然也非常危险,但也许还有机会逃生。在这一刹那间,他决定还是离开"金凯德"号。最后他问水手:"有人睡在我的船舱里吗?"

水手以为他要去拿钱,就如实地告诉他说:"没有。爵士和爵士夫人睡在船长的舱里,大副睡在原先他自己的舱里,你的舱空着没人睡。"

鲍勒维奇说:"那好,我现在就去收拾一下,把我的财物都给你。"

水手说:"我要跟你一块儿去,你这个人是靠不住的,一转过身你就会骗人!"

于是水手押着鲍勒维奇走上甲板，到了鲍勒维奇的舱门口。水手本来要跟进去的，鲍勒维奇转身对他说："还是我一个人进去吧！你在外面望望风，我保证把财物都给你。万一有人来撞见了，对你对我都不好。"水手听他说得也有道理，就放他一个人进去了。现在鲍勒维奇一心想逃命，忙匆匆顺手拿了几件带不走的东西，准备给那水手，以做买命钱。他站在桌子旁边呆了好几分钟，他在想如何利用他那颗定时炸弹，自己就是走，也不能便宜了泰山。这个玩意儿安置在一个小黑盒子里，就在桌子的秘密抽屉里，只要把桌子上的一块板轻轻一按，小黑盒就会露出来。

鲍勒维奇想了想，终于狞笑着下了狠心。他把桌子上的那块板一按，马上看见了抽屉里的黑盒子。他借着挂灯的光亮，将它拿了出来，把盒盖上的扣子一抠，盖就打开了。原来，盒子里面分两个部分：一部分里装有一个像小时钟一样的东西，另外一部分是装干电池的槽子。槽子里有一根电线，一端连着电池，另一端通到小黑盒的另一部分。至于另一部分里装着什么，外面是看不见的。因为另一部分上面的盖子是用沥青封死了的。在盒子的底部有一把钥匙，鲍勒维奇把它取下来，用它上满了发条。

上紧发条之后，他把钥匙取出，然后向四周看了看，想找一个合适的地方安装，最后，他把小黑盒子装到一个柱子上了，并且用一块毯子盖住盒子，好让人不易发现。他做这一连串事情时，耳朵一直留心着外面，唯恐水手一头撞进来，揭穿他的诡计。但自始至终，没有人进来打扰他。他检查了发条确实已经上足了，于是把钟面上的指针拨到第二天的一个钟点上，然后仍旧把盒子盖好，小心地把桌子也恢复了原状，又仔细检查了一遍，看有没有露出痕迹的地方。一切事他都做得很谨慎,确信都妥帖了,他才走出来。

他含着笑,提着灯,把收拾好的财物交给等在外面的水手,说:"这是我所有的财物,现在都给你,你该让我走了吧?"

水手把他拦住说:"等等!让我搜一下你的口袋,免得有些多余的东西,你带到丛林去也没有用,不如给了我,带到伦敦去,也许能派上用场。啊哈!看!果然不出我所料吧!"他从鲍勒维奇的外衣口袋里摸出了一大叠钞票,水手当然很高兴,鲍勒维奇虽然苦着脸,但也只好如此了。

鲍勒维奇眼见自己的钞票进了水手的衣袋,知道争也没有用,只好在心里诅咒,本来想讥讽他几句,告诉他把钞票抢去也用不成了,只是损人不利己而已。转念一想,还是别说出为好,万一被他听出话中有话,搜查出定时炸弹来,自己的谋划岂不是都白费了吗?小不忍则乱大谋,于是他咬咬牙离开了"金凯德"号,又回到了他的独木船里。几分钟之后,鲍勒维奇又到了黑暗的丛林里。人就是没法预见到自己的未来,如果鲍勒维奇能预知今后的几年中,他的生活就像在地狱中,他会觉得还不如趁现在投海死了好。

水手看着他走远了,断定他确实不会再回来,才回到自己舱里去,把许多财物藏好,上床睡了。这时在鲍勒维奇的舱里,装在柱子上的那个黑盒子,还在像时钟一样滴滴答答地走着。这个小黑盒子走过多少时间,"金凯德"号就离爆炸近多少时间,船上的人却谁也不知道。

## 十九
## "金凯德"号的沉没

天刚亮的时候,泰山就到甲板上来,想看看天气的变化。这时风势已经小了,天上也没有什么云,看样子可以放心开船了。他计划先到丛林岛去,以便送跟随了他一路的兽群安然回家。

看看早霞渐露,泰山估计水手们一夜也睡足了,就先喊醒了大副,告诉他赶紧起锚。那几个水手因为也得到了泰山不法办他们的允诺,心里坦然了,所以做事也非常勤快。

大猿和豹子在舱里关了一夜,这时也被放了出来,任意地在甲板上舒展散步。水手们见了它们,还是有点害怕,因为猿、豹吃他们同伴的景象还历历在目,说不定它们现在又饿了,会不会拿自己当早餐呢?谁心里也没谱儿。所以当野兽从他们身边经过的时候,每个水手都胆战心惊。泰山也想到了这一点,他和莫干壁密切注视,豹子和阿库特等大猿才不敢轻举妄动。

"金凯德"号渐渐驶近乌干壁河口,就要通过河口进入大海了。泰山和琴恩并肩站在甲板上,望着非洲的绿色海岸从"金凯德"号船边渐渐远去。若是过去泰山独自一人,也许又会产生各种各样近乎悲凉的感慨,现在有琴恩在一起,心情自然就不一样了。现在他俩都是归心似箭,因为儿子杰克现在在何处,是否平安，在他们心里是头等大事。然而为了送大猿和豹子回丛林岛，他们不得不在非洲再逗留一下。泰山和琴恩由于心里有事，总觉得船走得慢，实际上船行驶得很快。不大会儿工夫，已经能望见丛林岛的小山了。

在鲍勒维奇船舱里的小黑盒子还在滴滴答答地走着，钟面上的一根长针有规律地一圈一圈转着，慢慢地向停在上面的一根短针移去。当这两根针重叠在一起的时候，就是这个黑盒子完成使命的时候，也就是"金凯德"号跟它同归于尽的时候。

琴恩和泰山站在舰桥上，望着越来越近的丛林岛上的小山和树影，水手们也望见了远处水边的陆地。猿和豹同人不一样，它们无动于衷，在船上找一块阴凉，蜷缩着睡觉。忽然间只听得一声巨响，一间船舱的天花板被炸开了，一直飞上了天空。从那间舱里冒出了股股的浓烟，船上立刻乱了，水手们惊慌失措，不知道发生了什么事，也不知道自己该怎么办，甲板上完全处于混乱状态。阿库特和它的大猿群也惊慌地大声咆哮，那只豹也吓得到处乱窜。不要说水手们乱作一团，连经历过许多事的莫干壁也被这突来的变故惊呆了，两腿竟有些发抖，不知该做什么。只有泰山和琴恩还算镇定，泰山首先去安抚兽群，抚摸着它们的头和皮毛，像哄小孩子一样，尽可能安慰它们，让它们不要害怕。必须先把它们安顿下来，才不会妨碍人的工作。

情况越来越紧急，船的下面已经开始着火了，火势很猛，火焰从那间爆炸的舱里直往外蹿，迅速地向别处蔓延着，看来很难用水去扑灭了，而且整个船身也渐渐在着起火来。

唯一可庆幸的是，船上的人和兽都没有受伤。至于船上怎么会爆炸起火,大家都茫然无所知。只有头天晚上值勤的那个水手心里明白,鲍勒维奇曾经上过"金凯德"号,而且自己放他进过那间船舱。虽然他心里明白,可是他对任何人也不敢说。是的,鲍勒维奇是大家的仇人,他来到船上又对自己说过那些要害人、要报仇的话,自己怎能那么疏忽大意,为了贪一点小利,居然放他一个人进舱呢?现在事实证明,一定是鲍勒维奇安放了定时炸弹,弄得危及了大家的生命,水手在心里痛切地自责着。他也想过,如果把这件事和盘托出,泰山或许会宽恕他,可是那些同事却不见得能原谅他。他思前想后,还是打定主意不说出来。

泰山指挥水手们泼水救火,哪知火势熊熊,一点点水泼过去,不但不能灭火,反倒起了助燃的作用。泰山由此猜测,这爆炸物里一定含有什么引火的东西。火大约烧了半个来小时,黑黑的浓烟从船体上冒起来,机舱也燃烧起来了。机器已经不能再开动,海水已经从船体破裂的地方汩汩涌入,浓烟还在不断地冒。看来,"金凯德"号已经没有救了。

泰山对大副说:"我们赶快离开'金凯德'号吧!说不定定时炸弹还不止那一颗,随时都有再爆炸的可能,反正大船已经没救了,赶快把小船放下去,我们现在走还来得及。"

水手们从尚未被火烧到的自己的舱里,匆匆把行李抢出来,放下两只小船,人和兽陆续登上小船。好在这时没有大风和巨浪,所以小船很容易就划到了丛林岛。大猿和豹子一闻到熟悉的丛林岛的气味,知道又回到了故乡,还没等小船靠岸,它们一个个都迫不及待地跳上岸去,头也不回,毫无留恋地向丛林中跑去了。

人猿泰山·猿朋豹友　183

泰山带着凄凉的微笑,目送他们一个个远去,不禁自言自语地说:"再见吧,我的朋友们!你们都是我最好最忠实的朋友。祝你们大家今后都好,我决不会忘记你们的!"

琴恩倚在泰山身边问:"他们这回走了,今后还会回来吗?亲爱的!我知道你有点依依不舍。"

泰山想了想,回答说:"他们会不会再回来,现在还很难说,他们平时是自由自在惯了的,和人类在一起,总要受约束。莫干壁和我,虽然是人类,还多少带点野性,严格说,我们的性格和生活习惯是介乎人类与兽类之间的,尽管能和豹子、大猿们在一起生活这么久,大猿和豹子与我们还是有隔阂的。至于你和那些水手,是从小生活在文明社会里的,受的教育熏陶也完全和我不同,所以大猿、豹子和你们相处,就比同我和莫干壁相处困难更大。你在它们眼里恐怕是上好的食品,如果一不小心,从你们当中选一个当点心吃了,那才真是最糟糕的事,所以还是不在一块儿的好。这样说起来,它们走,还是为了你们。"

琴恩笑了笑,故意反驳说:"我想,它们一见丛林岛,那么急急地跑掉,主要是因为你的缘故。你常常管束它们,这不准、那不许,妨碍它们自由,它们本来像小孩一样,一切凭本能,是很任性的,当然不甘愿受你的约束。这次有机会逃开你强加给它们的管教,到家了,不赶快跑,还等什么呢?只是,如果它们要回来,我可不希望在晚上。"

泰山也笑着说:"如果饿着肚子回来,那可更不好。"

泰山他们这群人上岸之后,呆呆地望着"金凯德"号。果然,一个多小时之后,从远远的水面上,又传来了第二声爆炸。接着,

"金凯德"号就向一侧倾斜下去,几分钟后,慢慢地沉入海中了。原来,这第二声爆炸是锅炉的爆裂。至于"金凯德"号为什么爆炸,为什么沉没,这些人里,除了那个水手,没有一个人知道所以然。

## 二十
## 重返丛林岛

泰山一行人根据目前的情况，只能在海岸上住一段时间了。那么，第一件重要的事，就是寻找饮水和建筑住地。至于在这里要住多久，什么时候会有船只从这里经过，谁也无法知道。

泰山在这个丛林岛上住过，所以他知道最近的水源，他马上领着大家去取水。水手们则分工，有的赶着搭帐篷，有的在制造粗糙的日常用具。饭后，泰山就到丛林去猎取食物，他不在的时候如何保护好琴恩，他也是费了心思的。莫干壁和那摩苏尔女人是可以信赖的，至于"金凯德"号上的大副和那三名水手，他总觉得不是十分可靠。

出了这样意外的事故，大家心情都不好，但这一群人之中，心情最坏的要数琴恩。她挂念儿子的心情非常强烈，满心想着早日顺利地回到伦敦，好打听杰克的消息，谁知遭此意外之灾，只能耽搁在这里，今后还会碰到什么，也是不可知的事，所以她心里又是烦乱，又是悲切，幸而有泰山在身边，总比她和安德森逃出来的时候放心多了。

转眼间，不觉过了两个星期，每天各人都按照分工忙碌，倒也没有发生什么事。白天，从早到晚，泰山都派一个或两个水手到高处的悬崖上瞭望，看海上有没有船只经过。大副还脱下自己的红衬衫，捆在一株树上，好让海上的船只从远处就能看见，并且随时准备着一堆枯树枝，有船经过，就好把它点起来。可是守望的人天天眼巴巴这样等待着，总不见有任何船只的影子。看这样子，等船只来救，怕是没多大指望了。

大家情绪都日渐低落，泰山认为再不能这样盲目地等下去了。于是他考虑之后提议，不如大家一齐动手，自己造一条船，渡海回大陆去。造船用的器具，由泰山指挥着，就地取材，自己制造。有些人急于回家，自然非常赞成，于是立即动起手来。也有人认为自己制造渡海的船，困难很多，恐怕希望不大。就这样做了几天，一些畏难思退的心理，就在人们心里冒出来了，而且渐渐表现在行动上。那些水手吵嘴打架的事，也时有发生了。这样一来，泰山看出了危险的苗头。

人心越来越浮躁，泰山也就越发不放心了，不敢把琴恩单独留在水手中间。但是，猎取食品又必须他去，因为别人没有他那样得心应手。有时莫干壁也自愿去打猎，但是他的长矛和毒箭远不如泰山的绳索和猎刀，而且猎获物也不如泰山多。

水手们不相信自己造船的事能成功，渐渐消极怠工起来，有时他们不辞而别，也到丛林里找食物或去游荡。他们住的这块地方，猎豹和阿库特领着的一群大猿从没再来过。泰山在丛林中打猎，有时倒是能碰到他们，他们虽仍认识泰山，但是并不跟他走了。

住在丛林岛靠东边海岸的泰山一行人，现在是情况越来越不景气了。他们丝毫也不知道，在荒岛靠北面的海岸上，竟还住着另外一群人。

在岛北面的一个石洞底下，停泊着一艘双桅帆船，船名叫"考瑞"号。几天之前，在这条船的甲板上曾发生过流血惨剧。船上原来的船长、大副和忠于他们的两个水手，不幸都被水手中混进来的几个盗匪杀害了。这几个坏蛋中有两个是毛利人，一个叫格斯特，另一个叫莫缪拉，此外还有一个大恶棍叫凯尚。除了他们三人，船上原先还有十几个干杂活的，都是南非沿岸港口的流浪汉、苦力，以及流落在那里的毛利人，这十几个人都没有文化，当然比不上格斯特等三个人狡猾。现在，格斯特、莫缪拉和凯尚已经成了他们这一伙人的头头。就是这三个坏蛋密谋着劫持了"考瑞"号。"考瑞"号是一艘到南非采购珍珠的船，本来货已买齐，准备回国了，谁知这几个坏蛋见财起意，干下了这场劫杀案：船主是在熟睡时被凯尚刺死在舱里的，其他的高级船员是被莫缪拉和凯尚带着那群苦力杀死的。

格斯特这个人是只肯站在一边出主意，却不肯自己动手杀人的。并不是他有什么恻隐之心，而是因为他有一个很固执的想法，那就是他认为杀人的人都不会有好下场。他也见过不少杀人的人，即使侥幸逃过了法律的制裁，到了临死的时候，也必然要承受内心剧烈的痛苦。就因为他光动嘴不肯动手，那天密谋的时候，他受了另外两个人不少的埋怨和挖苦。

现在杀人劫货的事已基本成功，格斯特就成了船上的头头。他是瑞典人，只有他懂得航海知识，也只有他能把船驶出南大西洋，在开普敦的珍珠市场上把货脱手。莫缪拉和凯尚两个人都少不了他，只好让他当了船长。"考瑞"号原来船长的一切财物，都由格斯特一人霸占去了，凯尚为此非常不服，他多次表示不情愿受格斯特的指挥。凯尚原先是个厨师，这次阴谋，他的功劳也不小，当然不会甘居人下。现在看格斯特妄自尊大，在"考瑞"号还没到丛林岛北面锚地的时候，他早已心存不满了。只是凯尚不会驾船，为了把船开出南大西洋，到开普敦把珍珠卖出，他只好暂时忍着一口气。他们都知道，开普敦的珍珠市场，只要有货卖给他们，他们从来不问货的来源，所以只要船到开普敦，以后的事，就再不会有麻烦了。

在"考瑞"号靠拢丛林岛时，船上的人因为胆小，所以十分小心。他们远远看见南海岸的水平线上似乎有一股烟冒起来，用望远镜一看，是从一只海岸护航艇的烟囱里冒出来的。他们有意地躲着走，以免被发现，终于在岛北面的浓绿丛中发现了一个小港，于是就把"考瑞"号泊进了这个小港。他们准备先在这儿躲几天，如果有可能，再找个更安全的地方。格斯特决不打算现在就冒险开到海上去。凯尚对此却表示很不赞同，他说："我们既然能看见海岸护航艇，护航艇自然也能看得见我们。海面上有那么多船，难道他们一条条都检查不成？我们越躲避，不是越显得做贼心虚吗？"

格斯特并不跟他辩论什么，只是不理不睬，做出一副胸有成竹的样子，按兵不动。原来，格斯特执意要避到这个荒岛上来，也是有他的打算的，他想独吞这笔巨大的财富。只有他一个人会驾船，他准备把凯尚和莫缪拉丢在丛林岛上，等这两个同谋者出去猎取食物时，他就驾船逃走。但是，凯尚也是个十分诡诈的人，他也早已防着格斯特会来这一手，所以他每次出去打猎，总是拉着格斯特一起去。这样一来,格斯特无计可施,只好拖延时日,等待时机。

有一天,凯尚把他对格斯特的疑点都详细地说给莫缪拉听,还添油加醋地说了许多很气人的话。莫缪拉听了,当然非常生气,顺手抓起一把快刀,就要去找格斯特拼命。

凯尚赶紧把他拉了回来,跟他说,凡事要三思而后行,要考虑后果,航海的路线只有格斯特知道,目前最要紧的事,是要把船开到开普敦去。所以现在只能用武力强迫他就范,却不能要了他的命。

莫缪拉虽然暂时被他劝住了,但是心里还是憋着一口气,于是就去找格斯特,要他马上开船。格斯特另有自己的打算,当然不肯开船,莫缪拉就多次恶狠狠地逼他。

有一次格斯特被逼急了,就大嚷大叫起来,他说:"嘿!你怎么这样无理取闹?若没有我做船长指导你们,你们会一筹莫展,指不定闹出什么乱子来。你真是个无知无识的野蛮人!你懂得无线电的厉害吗?"

"你凭什么说我是野蛮人?我怎么是野蛮人?"莫缪拉马上按住刀把跳了起来,圆睁怒目高声喝问。

格斯特看他真急了,怕他真的动起武来,赶快解释道:"看你!急什么,我跟你开个玩笑罢了。我们都是老朋友了,莫缪拉!我们之间万不能因误解而动武,那老凯尚,正在打着鬼主意,要独吞我们的珍珠呢!他本来要把我们丢在岛上,幸而岛那边有护航艇守着,他才不敢轻举妄动。我心里明白,你今天之所以会对我动那么大的火,也都是出于他对你的挑拨和愚弄。"

莫缪拉听了,似信非信,傻头傻脑地问:"什么叫无线电?我们死守在这里,跟无线电有什么关系?"

格斯特搔了搔头皮,想了一阵说:"当然有关系,不过,这可不是一两句话说得清楚的。"

格斯特又怕自己的谎话骗不了对方,被他识破可就危险了。所以歇了一口气,又马上接着说下去:"你听着!当然有关系,关系还大着呢!你大概也看见过,每条军舰上都装有无线电,通过无线电,就可以和几百里以外的船只讲话,还可以监听其他船上的人讲话。你们当时在'考瑞'号上杀人的时候,就弄出过不少声音,说不定有的船已经听到了。虽然他们没法知道发生事故的船名,可是有船只发生了事,一定会有人知道。这样,就很难保他们不会对可疑的船进行检查。这种要采取搜查行动的船,也许就在我们附近。"格斯特说话时,故意做出一副严肃的神情,好像他说的话是千真万确的。

莫缪拉眼睛紧盯着格斯特,听他说完了这段话,最后他站起身来说:"你素来善于骗人,我没法相信你的话。如果你不把这只船好好开走,你的谎话,即使再说得天花乱坠,恐怕也不会有人相信了。我已经听到船上有了不少怨言,有几个人还说要杀死你呢,如果你不把他们带走,胆敢把他们留在这里的话。"

格斯特说:"我到底骗了你没有,我再说你也不见得信,你可以去问问凯尚,军舰上是不是有无线电?是不是可以和别的船通话?他都会告诉你。至于有人想杀我,那可真是愚蠢到了极点的想法,他们是不是不想离开这里了?难道他们在梦里学会了驾船的技术?嘿嘿!谁也别忘了,整个船上只有我一个人能把船开到开普敦去，你们谁离得了我呢？别痴人说梦了吧！"

莫缪拉转身就去问凯尚，问他到底有没有无线电这回事，凯尚告诉他，确实有这么回事。莫缪拉听他这么一说，心里也有点害怕。但是他一心想离开荒岛，只要有机会开出海去，无论如何也得离开这个可怕的地方，有再大的危险也在所不惜。凯尚叹口气说："除了格斯特之外，要是我们之中还有人会驾驶就好办了。"

这一天下午，莫缪拉带了两个毛利水手出去打猎。这一次他们走得远了些，走到岛的南面去了。忽然，他们听到丛林中有人在说话，他们知道自己船上的人不会到这里来，空林中怎么会有人声呢？他们大惊失色，几乎就想拔腿逃跑。到底他们在"考瑞"号上杀过人，那血淋淋的场景仿佛还在眼前，这些没有文化的毛利人又非常迷信，他们马上想到那些被他们杀死的船员和水手，是否阴魂不散，躲在这里准备复仇呢？莫缪拉越想越害怕，因为船上杀人越货的事，他是领头的。于是他马上指挥那两个毛利水手，小心谨慎地四肢爬行，找了一个隐蔽处躲了起来。

原来在树林里谈话的两个人，一个是"金凯德"号的大副，名叫施耐德，另一个是"金凯德"号的水手，叫施密特。莫缪拉当然不会想到，岛上还有另外的一群人。

这时，施耐德说："我想，只要大家齐心协力，事情是可以办到的。一只完好的独木船造起来也不难。船造成之后，只要遇到顺风，我估计，有三个得力的人划桨，用一天时间就可以到大陆了。我们何必非得听他指挥，一定要造什么大船呢？现在大家整天苦干，像他的奴隶一样，我们到底图什么呢？那个英国人又没给我们多少报酬,我们为什么一定替他傻干? 依我说,干脆把他留在这里算了……"他说到这里稍微停了一下,观察着施密特的反应,然后,又接下去说:"但是,我却要把那个女人带走,你想,那么年轻漂亮的一个女人,丢在这么个荒岛上,太可惜了!"

施密特看着施耐德,颇有心机地笑着说:"我说你费了这么多心思是干什么,原来是为了她呀!你为什么不早说呢? 我问问你,我若肯帮你,你给我什么好处呢? "

施耐德说:"这个你放心,我亏待不了你。我们若能把她带到伦敦或其他大都市,她一定会用一笔不少的钱补偿我们,这笔钱我只拿一半,另外一半任凭帮助我的人去分。我待在这个荒岛上,实在烦透了,连做梦都想早一天离开这里。说了半天,你到底有什么想法? "

施密特说:"说心里话,我赞成你的主意。只是我可不熟悉到大陆去该往哪个方向走,船上其他的人也不知道,只有你一个人熟悉海上的事。今后,你可不许变卦,把我们甩在什么地方,你去独吞赏金。只要你说话算话,今后我决心跟着你走,你到哪里,我也到哪里。"

施耐德满心高兴地说:"我发誓!决不违背诺言。"

莫缪拉在暗处仔细地听着,每句话都听清楚了。他在海上生活过好多年,也到过不少港口,对于各国的语言,大略都能懂几句,尤其在英国船上待得最久,所以刚才那两个人的话,他都听明白了。他心里暗自盘算着,不如和他们去商量一下,两条船上的人合起来干,彼此都有好处。于是他就从藏身的地方走了出来,一直走到那两个人面前。施耐德和施密特见忽然钻出一个人来,吓了一大跳,几乎要叫起来。施耐德马上掏出手枪来,向突然出现的人瞄准,喝问他是谁,在这里干什么。莫缪拉马上举起双手来说:"别动枪!我是你们的朋友。刚才我听到了你们的谈话,不过别担心,我一定为你们保守秘密。我能够帮助你们,只要你们肯帮助我。在岛的另一边,我们有一条船,可是没有人驾驶,如果你们愿意到我们船上来,只要先把我们送到一个地方去,这个地方的地名,我以后会告诉你们,我们到了目的地,就可以把那条船送给你们。你们想带什么女人一块走,那也随便你们,我决不多管。我们就这样说定了,好吗?"

施耐德听了他的话以后,又问了他一些有关的情况,凡是可以告诉的,莫缪拉都告诉了他们。他还提议,要他们和自己船上的伙伴凯尚也商谈一次。于是施耐德和施密特就跟着莫缪拉来到了他们那边。快要到达的时候,莫缪拉请他们两个人先在丛林附近等一等,自己去叫凯尚。于是施耐德和施密特就在丛林边上等待。

莫缪拉找到凯尚,把情况大略向他讲述了一遍,就领他去见施耐德。起初凯尚心里很犹豫不定,因为他看出来施耐德也不是善良之辈,一定是为了要达到自己的什么目的,说话总有点藏头露尾。不过凯尚想离开荒岛的心情十分迫切,他暗想,只要施耐德答应驾驶船,上了船之后,就不怕他们有什么不轨行为。

施耐德、施密特和莫缪拉、凯尚商谈完之后,就离开了他们,回到自己的住地,表面不露声色,可心里十分高兴。因为这真是天赐良机,有了这样一条双桅帆船,什么问题都可以解决了。独木船当然不用再造,即使使心费力地造出来,万一哪儿有点毛病，也不一定就能到达大陆。现在既有了这条船，实在是再好没有了。他们不但可以把琴恩劫走，莫缪拉还提出，把那个摩苏尔女人也带走，有船，这都不难办到了。施耐德为了达到能离开荒岛的目的，当然也只好答应他，好在这对自己并没有什么损失。

莫缪拉和凯尚也回到自己的住处，他们认为要实现他们的计划，第一件要做的事就是必须赶走格斯特，因为这个人必然会碍手碍脚。他们本来可以都住在船上的，为了避免引起护航艇的注意，他们情愿放弃船上的舒适环境而住在岛上的荒僻处去。遇有必要事要到船上去时，也只是一两个人去，不过遇到许多人都要回船时，就大家一起去，因为他们彼此都防范着，怕有人偷偷把船开走，而自己被甩在荒岛上。

莫缪拉和凯尚一刻都不耽搁地向格斯特的帐篷走去。这时格斯特正好在新推选出来的厨子的帐篷里，那里离他自己的帐篷很近，只有几步路的距离。他从帐篷门里突然瞥见莫缪拉和凯尚带着万分欣喜的神情向他的帐篷跑去，他虽然不知道他们到底要干什么，但觉得他们的行动很可疑，而且，他隐约看见莫缪拉的腰上还挂着长刀。

格斯特感到一阵恐怖，眼睛睁得大大的，脸色也变了。他不敢停留，马上带着疑惑和恐惧的心情离开了厨子的帐篷。他有几分觉察到，莫缪拉和凯尚两个人联手去找自己，多半是有什么对自己不利的阴谋。他过去并不怕他们，因为他仗恃着"考瑞"号上只有自己一个人具有驾驶的能力，现在既然发生了这种可疑的现象，一定是有了什么自己还不知道的新情况。无论如何，莫缪拉带着刀去找自己，绝没有什么好事。不如趁他们还没找到自己,三十六计,走为上计!于是格斯特飞快地跑出了帐篷,从海岸边逃进丛林里去了。虽然他对于丛林也是很害怕的,丛林深处阴森森的,远处还有各种野兽令人恐怖的叫声,说不定什么时候会遇到什么危险,可是为了躲避对手的利刃,他已经顾不得这些了。

格斯特对丛林虽然也很害怕,但不如对莫缪拉和凯尚那样怕得厉害,因为他对这两个伙伴杀人的手段是早已亲眼目睹过了,一把钢刀,一条绳索,就足可以使他们得心应手地杀人了。他看见过凯尚用绳子勒死人,他也害怕莫缪拉那把抡起来如风般的快刀,他一想到有可能要亲身领受他们的毒手,吓得不寒而栗。两害相比,他觉得还是躲入阴森森的丛林去好。

# 二十一
## 丛林中的天理

泰山原想指挥手下人自己造一艘船回国，没想到后来人们对造船越来越没信心，越来越懈怠，他只好一面强迫，一面悬赏，这样，一艘大船眼看着快完工了。其中大部分比较重要的工作，还是泰山和莫干壁在猎取食物之余亲自做的。

大副施耐德对造船的工作怨气冲天，后来简直是罢工了，带着施密特到丛林里打猎去了。他说这些天来太累，需要休息，泰山对他们原也没抱多大指望，所以也就由着他们去闲荡，没加管束。

第二天早晨，施耐德从丛林回来，突然改变了态度，竟积极参与完成这艘大船的工作了。施密特也跟施耐德采取了一致的行动。泰山并不知道他们为什么会有这种改变，误以为他们自己也觉得过意不去，明白了大家都在患难之中，应该同心协力完成工作。

泰山由于赶着造船，一连有好几天没有出去打猎了。有一天，施耐德和施密特忽然向他报告，说看见西南方向有一群小鹿，泰山认为这正好可以猎来当食品，于是问清了方向和路径，就到丛林中去猎鹿了。泰山走出没有多远，从北面的丛林里就跑出来五六个面貌很凶恶的人，而且他们奔跑的方向正是泰山的住处所在的方向。这些人自以为他们的行动人不知鬼不觉，哪知他们才走出自己帐篷，就已经被躲在丛林中的格斯特看见了。格斯特不知道莫缪拉和凯尚为什么要偷偷往南面走，难道他们在南面发现了什么东西吗？为什么要这样急匆匆地赶去？他想要看个究竟，于是就偷偷地跟在他们后面，看他们到底去做什么。若有机会，也可以给他们搞一下破坏，给自己出出气。

起初格斯特还猜想他们也许是在找自己，后来一想，不对！如果他们有事要找自己，昨天他们为什么要把自己赶出来呢？难道他们不怀好意，想杀掉自己？也不对！凯尚和莫缪拉决不会杀一个一文不名的人，他们明明知道我格斯特身上一个钱也没有，况且，要到开普敦去，他们也离不了我格斯特呀！

格斯特悄悄跟着他们，走了好一阵，看他们两个在前面都停住了脚步，过了一会儿，又一个个躲进路边的草丛里去了。格斯特猜想，这里恐怕还有另外的人，他们也许是约好了一起去抢劫的。这时，他更加好奇了，一定要看个水落石出。但他又怕被他们发现，就偷偷地躲在一株大树后面，静静地看他们下一步究竟要干什么。

格斯特没等多久，果然，就看见一个不认识的白人从南面走来。

只见那个白人走到这里，东张西望了一阵，好像在找什么人。这时，凯尚和莫缪拉从草丛中爬了出来，就和那白人谈起话来。格斯特离他们较远，只能看见他们，却听不见他们说什么。谈了一会儿，那个白人又从原路回去了。

其实,那个白人就是施耐德。他将要走到住地的时候,故意绕了一段路,装作从对面丛林里跑出来的样子,气喘吁吁地对莫干壁大叫:"快!赶快!施密特被你们的大猿抓去了,那群大猿都快把他弄死了!快些去救,只有你才喝得住那些大猿。如果需要人帮忙,可以带上琼斯和沙利文一起去。你赶快去吧!从这里往南,大约不到一里路。我留在这里,会保护好夫人的,我实在太累了,说老实话,也快被大猿吓瘫了,不能和你们一起去了。"说着,他就一屁股坐到地上。

莫干壁此时却没有不假思索地马上就走,因为泰山曾命令他在此保护琴恩,不要擅自离开,莫干壁一向是非常尊重泰山的,所以他表现得很踌躇。琴恩却是仁慈为怀的,她觉得情况紧急,应该先去救人,她说:"你不必担心,快去吧!我这里不会有什么事,而且,有施耐德先生在这里,即使有什么事也不要紧。莫干壁!快去吧!救人要紧。"

施密特躲在住处附近的树丛里,听见琴恩的话,心里暗暗高兴。莫干壁本来不愿意擅自离开的,见女主人催促,自然只好听命,就向施耐德说的方向走了,琼斯和沙利文两个水手也跟在他的后面。

不一会儿,施密特也到北面的丛林里去了,几分钟之后,就带着凯尚等几个人一起来了。施密特向他们做了个手势,表示附近已经没有别人了。

琴恩和摩苏尔女人坐在住地的前面,因为背向着丛林,所以没有发现背后有人偷偷走来。一直到他们走得很近了,五六个人已经包围了她们,她们才察觉情况不对。

凯尚喊了一声："快来!"就快步向她们走来。

琴恩跳了起来，眼睛向施耐德望去，意思是希望得到他的救助，哪知他站在原地不动，脸上露着狞笑。再一看，施密特已经走到她身边了，她这时才完全明白，自己中了他们的圈套。

她厉声责问施耐德："你们这是要干什么？"

施耐德说："没有什么，我们已经找到了一条很不错的船，可以立刻离开这个丛林荒岛了。"

琴恩问："要走，当然是大家一起走，我不明白，你刚才为什么把莫干壁打发走？况且，咱们船上的人也都还没回来呢!"

施耐德说："他们用不着跟我们一起走，我们只带你和这个摩苏尔女人走。"

凯尚又喊了一声："来!动手!"

几个人七手八脚拖着琴恩就走。另一个毛利水手也抓住那个摩苏尔女人，用力拖着向北走去。

莫干壁带着琼斯和沙利文往南面的丛林里走出一里多路，没有看到大猿的影子，也没找到施密特。他以为它们走远了，就学着泰山叫大猿的声音，向各个方向叫了半天，也不见有半点回音。琼斯和沙利文站在旁边，看他这样叫着，觉得莫名其妙，不知他在干什么。他们又继续向前走，莫干壁一边走一边叫，又走了半里多路，仍然不见踪影。他心里才有几分明白，多半是中了调虎离山计了，赶快飞跑回住地，果然，琴恩和摩苏尔女人都不见了，施耐德也不见了。

琼斯和沙利文追不上莫干壁，随后也赶到了，莫干壁不明真相，以为他们俩也是这件劫持案的同谋，一时怒火中烧，几乎想杀了他们。后来经他俩再三说明，才知道他们也不知道事情的原委。

他们三个人聚在一起，都在猜测施耐德为什么要把琴恩劫去。这时泰山也回来了，从树上跳下来，看他们三个人脸色都不对，知道大概发生了什么意外，问起他们，莫干壁便把前后情况说了一遍，泰山听了又急又气。

泰山知道这时急是没有用的，马上静下心来想了想，他分析着：施耐德不是傻子，他这样大胆地绑架琴恩，而且带走了摩苏尔女人，居然不怕泰山来追赶，一定还有别的人一起走，而且他们一定有了能离开荒岛的办法，否则，他们决不敢这样鲁莽。于是泰山对莫干壁说："走！他们拖着两个女人，现在还不会逃得很远，我们循着地上的踪迹赶快去追！"

泰山正和莫干壁说着，忽见从北面丛林里走出一个身材高大的人来，仔细一看并不认识。原来这人就是格斯特，他照直向泰山面前走来，停住脚步，开门见山地就问泰山："你们这里是不是丢了两个女人？假如你要找她们，快跟我来，咱们快点去追，如果晚了，等到我们追到海边，'考瑞'号恐怕就开走了。"

泰山问这个人："你是谁？你怎么知道我们这里丢了两个女人？你知道她们被什么人劫去了吗？"

格斯特说："我是'考瑞'号上的船员，我听到我们船上的凯尚和莫缪拉同你们住处的两个人在丛林里偷偷商量这件劫案。后来他们发现我已经听到了，就要杀我，幸亏我跑得快，他们没追上我，实际上等于把我赶了出来。现在你们要救人，我要报仇，你们快跟我走吧！"

格斯特领着泰山等四个人往北面丛林走去，他们到海边的时候已晚了一步，"考瑞"号已经离岸了。

泰山站在海边，焦急而愤怒地看着"考瑞"号扬帆开走。他知道琴恩就在这艘船上，不知他们要开到什么地方去，琴恩此去，恐怕凶多吉少，自己站在岸边，又实在想不出什么办法，游水去追，是绝对赶不上的。他只好目送着"考瑞"号向东驶去，从海峡旁边拐了个弯，就看不见踪影了。他知道没有希望追上去了，只能在岸上搓着两手着急。

直到天黑，泰山等五个人才回到住宿地去。这天晚上天气非常炎热，像被火烤着一样，一点儿风也没有，树叶动都不动，海里也没有大的波浪，只有细小的海浪，拍着岸边发出有节奏的声音。

大西洋上会有如此平静的夜晚，泰山还从来没有遇到过。他呆呆地站在岸边，遥望着远方，思绪万千，心乱如麻。正在他焦急万状时，在他背后的丛林里，忽然传来了猎豹的咆哮声。

泰山听这声音好像十分熟悉，是不是自己驯养的那一只呢？泰山转过身去回应了一声，几分钟之后，那猛兽从林中蹿出来，一直向泰山奔来。此刻虽然没有明亮的月光，星光却十分灿烂，只见那豹一直跑到泰山面前，像见了旧主人一样，鼻子里打着呼噜，泰山知道老朋友还没有忘记他，就伸手抚摸着豹的皮毛，豹也直立起来，把两个前爪搭在泰山身上，泰山又搔搔豹的头，眼睛却又焦急地转向大海。

泰山眼睛突然一亮，似乎发现了什么可喜的事情。他立即回头去看另外的四个人，见他们正坐在帐篷里吸烟，因为看不到什么希望，都是一副百无聊赖的样子。泰山喊了一声，他们从帐篷里走出来。原先泰山船上的人并不怕那只豹，可是格斯特看见这么威猛的一只猎豹，简直吓呆了，再不敢往前走一步。

泰山指着海上远处对他们说："看见没有？那儿有一团亮光，我估计是船上的桅杆灯，那一定是'考瑞'号。因为没有风，船帆不起作用，他们也走不了。我们可以去追他们！咱们自己造的那只新船完全载得下咱们这几个人。"

格斯特却有点害怕，嘟囔着说："不行！我知道那条船的装备，他们有许多武器呢，况且我们只有五个人，追上去，只能是我们吃亏！"

泰山回头指指豹，说："不！现在已经有六个了。半个小时之内，我还可以找些帮手来。这只豹足可以抵挡二十多人，我再找几个，足能顶一百个人的力量，咱们的兵力够充足了，格斯特！你恐怕还不认识他们呢！"

泰山说完，就信心十足地昂首挺胸向丛林走去。他用大猿互相求助时的啸声，接二连三地喊了一阵，丛林里不久就有了回应。格斯特惊诧地瞪大了眼睛看着，他想象不出将会发生什么事。到这时，他几乎有点疑惑不解了，泰山到底是人还是野兽？他心里暗暗在想，现在如果凯尚还在这里，让他看看泰山抚摸豹子，还能到丛林里去喊别的什么野兽来，倒要看看你凯尚还有多大胆子捣鬼！

没过多大工夫，阿库特就带着它的一群大猿摇摇摆摆地赶到了。泰山等五个人见它们都来了，就把新造的那艘船推下水去，幸好还有"金凯德"号救生艇上的几支桨，现在正好派上了用场。

大猿和豹子这次又见到泰山,都表现得十分欢快,在泰山的指挥下依次上了船。只有格斯特吓得要命,怎么也不肯跟他们一同去。他们拼命地划着桨,大猿也帮着划,这艘船尽管造得不美观,可还是很好用,没多少时间,已经载着这支人兽混合的队伍,划到海上,直向"考瑞"号追去。

"考瑞"号上值班的水手正在甲板上打盹。施耐德在关着琴恩的舱里,紧紧地看守着她,来回不停地踱着。幸亏琴恩在上船之后,从一个抽屉里无意间发现了一支手枪,现在她就用它防身,吓住施耐德,不让他走近自己。那个摩苏尔女人,也关在这同一个舱里,她吓得躲在琴恩身后。施耐德对她们连恫吓带哄骗,软硬兼施,但是任凭他使尽伎俩,却收不到什么效果。忽然,甲板上传来了一阵嘈杂声,接着,又响了一声枪声。琴恩吃了一惊,忙向舱口的窗缝里望去,想看看外面发生了什么事。施耐德得了这个空隙,就想向琴恩扑去,但转念一想,又觉得不能急着这么干,必须先弄清外边的情况,于是他也抢到舱口的窗前,想看看外面到底发生了什么事。

在甲板上打盹的水手突然被船舷外的一阵声音惊醒了,抬头一看,只见有人从船边爬上来了,头和肩膀已经露在船舷之上了。他跳起来大喊一声,立即拔出手枪,向上来的人扣动了扳机。这就是琴恩在舱里听到的枪声。

甲板上立刻热闹了起来,"考瑞"号上的水手们听到叫声和枪声出来迎敌的时候,一瞬间都被吓傻了眼,来了一群他们从没见过的对手:泰山带着威风凛凛的大猿和猎豹已经到了甲板上!

那些水手猛然见了这些野兽，都吓得魂飞天外。有手枪的水手胡乱开了几枪，也不过是给自己壮胆。后来，为了保住性命，他们都找地方藏了起来。有的躲在帆篷下面，全身不住发抖。哪知这种地方是最容易被大猿找到的，不一会儿工夫，都一个个被大猿逮了出来。

大猿和豹子趁泰山去找琴恩，没有人来管束他们的时候，就更加放肆起来，把"考瑞"号上的水手都不客气地活活咬死。猎豹也抓住了一个，咬死之后，正在撕扯着大嚼，无意间看见凯尚溜了下来，豹子立即放下正在咬嚼的死尸去追凯尚，凯尚见豹子追来，没命地逃进自己的船舱，想要关起舱门，可是已经来不及了。豹子很快地冲进舱里，把正往床上躲的凯尚叼了下来，对准咽喉一口就把他咬死了。

这时，在琴恩的船舱里，施耐德趁琴恩一时没防范，把她手里的枪一把夺了过来。正在这紧急关头，舱门被打开了，走进来的正是泰山。

泰山跳进舱来，用双手从后面卡住施耐德的脖子。施耐德挣扎着扭转头去，看看到底是谁从后面卡住了自己的喉咙，他一回头，正和泰山打了个照面。这时泰山双手已经用了力，越卡越紧，施耐德想呼救也发不出声音来了。他扭着、跳着，还想逃命。琴恩拉住泰山的手臂，示意他饶了这个人。泰山摇摇头，很快地说："你别再发慈悲了，从前我们饶过这群歹徒，他们感恩了吗？还不是反过来加害你和我！这次我非要了他的命不可，免得留着这个祸害再来害我们，或者再害别的什么人！"

施耐德的颈骨随着泰山的话音折断了。泰山带着琴恩和摩苏尔女人一齐从舱中出来,回到甲板上。

这时,甲板上野兽们的肆虐已经停止了。除了施密特、莫缪拉和另外两个水手躲在水手舱里没有被杀之外,其余的人再没有一个是活着的。天色渐渐亮了,泰山逐个房里看去,把那四个人从水手舱里捉了出来,命令他们在船上帮着工作,如不听从指挥,立即处死,四个人当然唯唯诺诺。

这时,一轮旭日正从东方升起,微风轻轻地吹着,"考瑞"号张起了帆篷,又向丛林岛开去。泰山准备在那里停留几个小时,因为要接格斯特,同时,也要送大猿和猎豹回到它们大自然中的家乡去。当船渐渐靠近丛林岛时,从野兽的目光中可以看出,它们似乎已经认出了家乡。果然,船刚一靠拢岸边,大猿和豹子又毫不留恋地蹿进丛林里去了。

兽群里只有阿库特最通人性,它似乎有些觉察到这次和泰山分别,再见面恐怕不容易了,所以恋恋不舍,站在小船边,很久不肯离去,凄凄哀哀地望着小船和泰山。一直到"考瑞"号又开船了,泰山和琴恩站在甲板上,看着孤寂的阿库特,还独自站在丛林岛的边上,好像舍不得他们离开,又好像盼望他们再来。

三天之后,"考瑞"号遇到了一只英国的小军舰,名字叫"滨水"号。泰山就借用小军舰上的无线电与伦敦通了话,得知小杰克早已安然返回家中了,他和琴恩都感到惊喜。从无线电里只是得知了大概的情况,至于杰克究竟是如何平安归来的,等他们到了伦敦之后,才知道了详细经过。

原来,罗可夫劫持杰克那天,不敢在白天公然把孩子送到"金凯德"号上去,所以把杰克暂时隐藏在一个秘密的洞窟里,那儿是一个私生子的收养所,准备等天黑之后再带杰克上船。罗可夫的同谋鲍勒维奇已经和他伙同干坏事很多年了,从来没有过不听他吩咐的时候,罗可夫怎么也没料到这一次鲍勒维奇竟敢自作主张地干了一件事。原来,鲍勒维奇另有图谋,他想:这孩子既然是爵士夫人的独生子,如果能够把他藏起来,然后找机会把他安全地护送回家,爵士夫人一定会赏他一笔巨款。虽然他也知道罗可夫心狠手辣,假如让他知道了绝饶不过自己,然而有厚利可图,毕竟对他的吸引力更大,至于罗可夫那边怎么对付,可以慢慢再想办法。罗可夫常用的一句话现在倒对他起了鼓励作用,那就是:"只要把脑子放灵活,没有过不去的河。"

鲍勒维奇的鬼主意打定之后,就偷偷把杰克父母的姓名告诉了私生子收养所的女所长,并向女所长要了一个黑种小孩来顶替杰克,那女所长也满口答应。等鲍勒维奇再回英国的时候,把杰克交还给他。鲍勒维奇是留了个心眼的,他没把爵士夫人的地址告诉所长,以为这样就万无一失了。哪想到所长也想得那笔巨款,于是找到了爵士的律师,把前后经过向他全盘托出,要求他代爵士夫人认领了孩子。就这样,杰克和小黑孩被掉了包。

当时,泰山家里没有人去认领小杰克,幸好琴恩的女仆爱丝米兰达恰巧从美国回来,她代替主人去认领了孩子,赏金也按规定付了。小杰克在被拐走的十几天之后,安然无恙地又回到了他父亲的府第。

罗可夫一生做过无数件坏事,这次拐骗孩子是他作恶的最后一次,也是最严重的一次。可以说,这次他从一开头就不顺利,他忠心的同伙鲍勒维奇竟愚弄了他,到最后,自己也落得惨死,这可说是他咎由自取,天理报应。罗可夫既死,泰山和琴恩从此可以放心,不会再有人暗算他们了。当时他们太高兴了,竟没有来得及细想,还逃跑了一个鲍勒维奇。他们满以为鲍勒维奇流落在蛮荒,没有可能逃过种种无法克服的危险,绝对没有生还的希望了。他们哪里会料到,正是罗可夫培养出来的这个坏蛋鲍勒维奇,竟会给他们未来的生活重新带来灾难呢!